Maude ou comment survivre au mariage de sa soeur

Élizabeth Lepage-Boily

LES INTOUCHABLES

5, rue Sainte-Ursule
Québec (Québec)
G1R 4C7
Téléphone : 418 692-0377
Télécopieur : 418 692-0605
www.lesintouchables.com

DISTRIBUTION : PROLOGUE
1650, boul. Lionel-Bertrand
Boisbriand (Québec)
J7H 1N7
Téléphone : 450 434-0306
Télécopieur : 450 434-2627

Impression : Marquis Imprimeur inc.
Conception du logo : Paul Brunet
Mise en pages : Paul Brunet
Illustration de la couverture : Estelle Bachelard
Photographie : Alexandre Giguère-Duchesnes

Les Éditions des Intouchables bénéficient du soutien financier du gouvernement du Québec — Programme de crédit d'impôt pour l'édition de livres — Gestion SODEC et sont inscrites au Programme de subvention globale du Conseil des Arts du Canada.

Nous reconnaissons l'aide financière du gouvernement du Canada par l'entremise du Fonds du livre du Canada (FLC) pour nos activités d'édition.

Conseil des Arts du Canada
Canada Council for the Arts

Dépôt légal : 2013
Bibliothèque et Archives nationales du Québec
Bibliothèque nationale du Canada

ISBN : 978-2-89549-607-6
978-2-89549-619-9 (ePUB)
978-2-89549-620-5 (ePDF)

Élizabeth Lepage-Boily

ou comment survivre au mariage de sa soeur

De la même auteure

Maude ou comment survivre à l'adolescence, Les Éditions des Intouchables, 2013.

Pour Lucienne et Rita,
Reposez en paix, chères grands-mamans.

Prologue

Je hais les mariages. Et je hais encore plus les folles qui croient qu'une fête engraissée aux excès et aux fantasmes refoulés est la promesse d'une vie amoureuse réussie. Des robes bouffantes qui cachent regrets et culotte de cheval, une cérémonie soporifique dans une église en décrépitude célébrée par un curé légèrement enivré par un vin de messe qui a perdu de sa symbolique, des discours à l'humour douteux remplis d'anecdotes insignifiantes, des tables décorées aux couleurs des accessoires de la mariée autour desquelles se rassemblent des gens qui n'ont rien à se raconter, un animateur de disco mobile démodé qui croit que les Black Eyed Peas sont un mets exotique, et un vieil oncle éméché qui entame une danse suggestive en montrant du doigt sa nièce enceinte… La promesse d'une vie amoureuse réussie? Je ne crois pas, non.

Chapitre 1

Trépas de porcelaine

Après l'humiliation que Simon m'a infligée, après la leçon d'humilité que j'ai reçue en réintégrant cette école bondée d'adolescents qui — je le croyais — me dévisageaient en me jugeant, ma vision de l'adolescence et même de la vie en général était encore plus envenimée qu'avant. Emilia a su prendre soin de moi et de mon cœur détruit, de mon amour-propre dévoré par une bête sauvage. Ellie et Sandrine, des connaissances qui sont devenues des amies au fil de mes aventures — bonnes et mauvaises — , ont aussi fait de leur mieux pour m'aider à surmonter cette épreuve — baptisée le « Black Monday n° 2 » (je ne suis pas originale, mais au moins je suis cohérente). Elles ont mangé avec moi de la crème glacée aux Rolo en regardant des comédies romantiques (les classiques, c'est toujours gagnant), ont bitché les gars, leur frivolité, leur inconstance pour poser un baume sur mes plaies et m'ont accompagnée dans une séance thérapeutique de magasinage de sacoches (oui, oui, Sandrine m'assure que s'acheter un sac à main est l'une des meilleures manières d'oublier un homme; j'ai encore des doutes...). Le souvenir de Simon — que j'aimais plus que je ne le laissais paraître, je m'en rends compte aujourd'hui — embrassant langoureusement cette fille, cette ordure mal fagotée, me revient continuellement en tête. Je le revois la toucher, la serrer, lui sourire, et quand il m'aperçoit enfin, perdre l'enchantement qui illumine son regard au profit d'une infecte pitié. À deux reprises, ce garçon ignoble m'a laissé croire à l'amour; à deux reprises, il m'a publiquement offensé. Il est même allé jusqu'à prétendre qu'il n'était pas responsable de mes illusions, de mes espoirs vains. Simon Bazin fait partie des gens les moins fréquentables en ce bas monde. Jamais plus je ne serai la victime de ses charmes bestiaux, sachez-le.

Emilia, dans sa grande bonté, a décidé que, pour traverser ces temps plus sombres, il me fallait me défouler. C'est pourquoi elle m'a fait cadeau d'une cible sur laquelle elle a collé une photo de Simon, et de quatorze dards colorés marqués aux jours de la semaine (deux pour chaque jour). Ainsi, chaque matin et chaque soir, comme un rituel sacré, je lance avec beaucoup de sérieux et de rigueur une fléchette au visage de celui qui m'a enjôlée, manipulée et déçue.

C'est d'ailleurs lorsque je m'apprête à améliorer le portrait du Roi de la jungle grâce à quelques trous bien placés que je remarque une enveloppe d'un blanc immaculé, fixée à mon babillard avec une punaise argentée. Je dépose ma fléchette sur mon bureau et décroche cette intrigante missive.

Vous êtes cordialement invité au mariage
d'Ariel L'Espérance et de Maxime Demers
qui aura lieu le 1er août
au Château Bon Séjour du lac Montclair
Une réponse avant le 1er juin serait appréciée.

Je suis consciente — de manière purement rationnelle — du fait que ma sœur épousera le stagiaire de mon professeur d'éducation physique dans moins de trois mois. Cependant, cette missive me le rappelle avec beaucoup trop de vigueur, et je me pose encore les mêmes questions — rhétoriques, bien sûr. Pourquoi ma sœur épouse-t-elle ce *douchebag* italo-québécois ? Pourquoi lui ? Pourquoi ce fendant artificiellement cuivré doit-il devenir mon beau-frère ? Et, de plus, pourquoi faut-il que l'événement ait lieu un premier du mois, cette journée qui pour moi est symbole de mauvais sort ? Ma vie est un enfer.

Comme si elle avait entendu mes lamentations intérieures sur le choix de son conjoint et la date de son mariage, Ariel cogne à ma porte et se permet d'entrer sans attendre mon autorisation.

— Je vois que tu as pris connaissance de notre faire-part, déclare ma sœur aînée d'une voix — étrangement — douce. Je ne te l'ai pas donné avant, puisque tu m'as bien confirmé que tu serais présente.

Tout ça, bien malgré moi.

— Oui, il est très joli.

Ce sont les seuls mots polis qui me viennent à l'esprit.

— J'aurais quelque chose à te demander, poursuit-elle, quelque chose que, je crois, tu n'apprécieras pas, mais j'y tiens.

La panique commence à monter en moi et je serre le carton d'invitation de plus en plus fort entre mes doigts.

— Je voudrais que toi, Belle et Jasmine soyez mes demoiselles d'honneur. Belle et Jasmine ont déjà accepté, il ne manque plus que toi.

Je m'imagine immédiatement en robe à crinoline, un bouquet de lys à la main, en train de sourire innocemment, posté en rang (par ordre de grandeur) avec mes deux sœurs vêtues du même affront vestimentaire ; le tableau mérite amplement la panique précédente. En voyant mon expression accablée, Ariel se voit dans l'obligation de renchérir :

— C'est vraiment important pour moi, Maude, que tu sois présente à mes côtés lorsque j'accepterai la main de Max.

Une nausée m'enfièvre soudain. Et même si j'ai très envie de lui répondre que j'ai déjà quelque chose de prévu cette journée-là, quelque chose de très important, quelque chose qui pourrait changer la face du monde à jamais, de top secret classé confidentiel qui n'est connu que des très hautes autorités gouvernementales, je me résigne avant même d'ouvrir la bouche et de la blesser avec mes mensonges démesurés.

— Bien sûr que j'accepte, Ariel, lui dis-je enfin.

C'est la seule réponse possible si je veux préserver cette paix réconfortante qui règne dans la maison depuis quelques mois et, aussi, l'amour et le respect de ma grande sœur. Elle me serre dans ses bras avec vigueur et me remercie de l'honneur que je lui fais. Je ne vois pas vraiment ce qu'il y a d'honorable dans le fait d'accompagner l'une de ses semblables à la guillotine, mais si tel est son souhait, je lui tiendrai la main jusqu'à ce qu'on lui coupe la tête.

Maintenant seule dans ma chambre en désordre, à scruter la convocation sur papier cartonné au mariage de ma sœur, je pousse un long soupir et me résous à commencer à étudier. Je m'installe à mon bureau de travail, juste sous cette cible arborant le visage de Simon, et entame mes révisions. Plus que quelques semaines (neuf jours d'école, pour être plus précis) et une autre année scolaire s'achèvera enfin. Mais avant ces vacances tant attendues, avant ce dernier été d'oisiveté, puisque l'an prochain j'aurai l'âge requis pour être exploitée dans un dépanneur ou un restaurant, je dois apprendre par cœur une tonne d'informations inutiles que je cracherai sur une feuille d'examen pour ensuite les oublier sous le soleil réconfortant de l'un de nos — toujours trop courts — étés québécois. Le premier examen de cette longue et pénible croisade vers la liberté : histoire. Je retranscris presque l'entièreté de mes notes, me fais des tableaux, des aide-mémoire, sachant pertinemment que c'est davantage pour passer le temps, pour me faire croire que j'étudie que pour réellement retenir l'information. Oui, il y a bien quelques bribes qui restent accrochées à mes neurones lorsque je copie la matière, mais mes pensées vagabondent, et ce n'est pas la fondation de Québec par Samuel de Champlain en 1608 qui m'importe en ces moments de silence.

Depuis mon humiliation n° 2, le monde a continué de tourner à l'envers, comme il le fait depuis mon enfance. Emilia a fréquenté Matt — de manière officielle ou officieuse, tout dépend du point de vue ou de la version — pendant environ un mois avant que ce dernier ne la laisse tomber pour des raisons encore nébuleuses; il était question de pogos et d'un retard, mais j'avoue ne pas m'y être intéressée plus sérieusement. De toute façon, chaque fois que quelqu'un aborde le sujet, Emilia parvient à le contourner d'habile manière. Je n'ai donc pas à supporter trop de regrets, complaintes et pleurnichements de la part d'une amie défaite (que j'aime même quand elle pleurniche... que ce soit clair). Emilia et Matt tentent (le pluriel est ici employé pour protéger l'intégrité de mon alliée bien plus que par volonté d'honnêteté) d'entretenir une saine amitié gars-fille. Mais cette relation est vouée à un échec imparable, puisque la Latino-Américaine est encore follement éprise de cet athlète bohème, et ce, même si elle affirme le contraire avec grande virulence.

Ma mère, pour sa part, toujours aussi volage, est revenue d'Afrique pour ensuite repartir deux semaines en Amérique du Sud. Maintenant de retour dans ce Québec si réconfortant avec ses tempêtes de neige suivies de pluies torrentielles, elle dit ne pas avoir l'intention de nous quitter de nouveau avant le mariage d'Ariel en août. Mais nous sommes toutes les trois bien conscientes que ses promesses sont aussi fiables que celles des politiciens et que l'occasion « impossible à refuser » surviendra irrémédiablement.

Belle, de son côté, fait encore de la télévision communautaire et demeure, la plupart du temps, d'humeur exécrable. Jasmine continue de nous torturer avec des airs gaillards quand son réveil sonne à l'aurore. Aujourd'hui nous avons eu droit à *Dancing Queen* d'Abba, et hier c'était *Non, je ne regrette rien* d'Édith Piaf. Son répertoire est très varié, mais n'est pas pour autant couronné de qualité.

J'en suis à faire des gribouillis dans la marge de ma feuille de révision lorsque ma mère appelle soudain l'escadron, d'une voix forte et sévère, du haut de l'escalier. Ariel, Belle, Jasmine et moi répondons à la sommation parentale sans ronchonner. Quand nous sommes toutes réunies dans la cuisine, Sylvie, assise à la table, les yeux rougis, le ton adouci, nous demande de nous installer près d'elle. L'ambiance est beaucoup plus tendue qu'elle ne le devrait. Mes sœurs et moi nous observons, intriguées. Lorsque nous sommes assises, ma mère lance la bombe:

— Votre grand-mère est décédée cet après-midi.

Pendant plusieurs minutes (secondes, peut-être; j'ai perdu momentanément la notion du temps), nous restons silencieuses. Nous regardons notre chère mère pleurer le décès de sa génitrice. Plus le temps s'écoule, plus l'image devient embrouillée en raison des larmes qui s'accumulent sous nos paupières. Notre grand-maman Gilberte (que nous appelions affectueusement Gilette, puisque quand nous étions petites, nous avions de la difficulté à prononcer le « b » et le « r » et le surnom est resté) est — ou plutôt était — une personne importante dans notre vie, pour chacune d'entre nous. Depuis trois ans, elle séjournait dans un centre d'hébergement et de soins de longue durée en raison de la vicieuse maladie d'Alzheimer qui lui avait volé tous ses repères et ses souvenirs. La première année, j'allais lui rendre visite une fois aux deux semaines ; ensuite, ç'a été aux mois et, après, aux trois mois, et cela faisait maintenant plus de six mois que je n'étais pas entrée dans cet établissement morbide qui sent l'urine et l'oubli. Aujourd'hui, je me sens terriblement coupable de l'avoir abandonnée ainsi. Elle ne me reconnaissait plus depuis au moins deux ans et était incapable d'entretenir une conversation, aussi sommaire soit-elle, ou même de manger de la nourriture solide, mais les médecins continuaient d'affirmer que de recevoir des visiteurs la réconfortait et l'apaisait. Cette pensée venimeuse me taraude : j'ai été lâche, elle est probablement morte en croyant que je l'avais délaissée au profit de quelques activités juvéniles.

Nous nous regroupons pour serrer, de concert, la principale endeuillée, et pour lancer quelques phrases stéréotypées censées nous remonter telles qu'« elle a fait une belle vie » et « elle ne voudrait pas qu'on pleure ainsi ». Ces énoncés prémâchés n'ont, par contre, pas l'effet escompté sur moi qui exècre ce genre de poncifs socialement acceptés ; consolations avantageuses pour les vivants. Mais je sais tout de même que ce n'est pas le moment d'extérioriser mon dégoût envers ces propos complaisants. Le deuil a tôt fait d'envahir la maisonnée. Des stigmates d'un passé reluisant en compagnie de grand-mère s'accrochent à notre mémoire. Ils sont perceptibles au creux de nos regards noyés de chagrin. Sa force de caractère me revient à l'esprit, son entêtement en toutes choses. C'était une femme de la Deuxième Guerre, une femme à la maison, une femme qui avait été élevée pour devenir une ménagère soumise et serviable, mais qui a décidé que son futur ne serait pas celui d'une simple domestique. Elle tyrannisait le quartier et affirmait à tous ceux qui voulaient bien l'entendre, et avant même les révolutions féministes, que la femme était l'égale de l'homme et qu'elle était en droit de vouloir travailler et s'impliquer au sein de la société. Lorsque les premières militantes ont commencé à brûler leurs brassières, elle s'est retirée du débat, considérant qu'elle avait déjà donné pour la cause en l'alimentant dès ses ébullitions originelles. Elle a élevé ses enfants avec une main de fer, une poigne qui s'est considérablement émoussée à la naissance de la génération suivante. Avec ses petits-enfants, elle était aimante, douce, attentive, tellement qu'elle a fini par rendre ses filles et ses fils jaloux de l'attention qu'elle nous accordait si humblement. Ma mère a souvent répété : « Gilberte est une grand-mère avant d'être une mère. » Elle le disait avec un certain trémolo dans la voix qui confirmait son amertume et son légitime dépit.

— Vous souvenez-vous quand elle a décidé de rénover elle-même sa salle de bain ? déclare une Ariel mélodramatique avec ses mouchoirs, ses tressaillements de voix et sa main ouverte en éventail comme pour sécher ses larmes de crocodile (je suis dure avec elle, mais elle n'est jamais allée voir notre grand-mère à l'hôpital et, maintenant, j'en suis sûre, elle la considérera comme son idole et en fera son modèle). Elle frappait sur chaque tuile, chaque clou, chaque imperfection, parce que tout se réglait, selon elle, avec un marteau.

Nous avons toutes, au même instant, l'image de notre Gilette de soixante-quinze ans, agenouillée dans la poussière en train de « rénover » (le terme « saccager » est probablement plus juste) sa salle d'eau du sous-sol avec un bonnet de douche en guise de casque de construction et un sac banane en guise de tablier de menuisier (elle n'était pas folle, seulement légèrement excentrique et habituée à se débrouiller avec « les moyens du bord »).

— Je l'aimais tellement, dit finalement notre tragédienne préférée en reprenant de plus belle ses gémissements et sanglots artificiels. Elle sera toujours un modèle pour moi, lance-t-elle enfin, prouvant ma perspicacité et sa prévisibilité désolante.

Jasmine, qui semble également désespérée par la théâtralité de notre sœur aînée, décide de détourner l'attention de notre tartufe vers un souvenir réconfortant.

— Moi, ce sont ses *fudges cakes* et ses poudings au riz qui me manquent le plus.

Les festins sont généralement des vestiges assez profondément ancrés dans nos mémoires, sans doute parce qu'ils passent par le ventre. Ma grand-mère était une femme avant-gardiste, oui, mais elle venait d'une époque où les mauvaises cuisinières étaient pendues ou condamnées au bûcher (j'exagère à peine). Avec sept bouches à nourrir, elle a dû user d'imagination. Même si ma mère affirme avoir souvent mangé des *grilled cheese* et des sandwichs aux œufs dans sa jeunesse, Gilette était reconnue pour ses desserts et ses recettes « à l'instinct ». L'odeur du gâteau qui cuit dans le four et celle du sucre à la crème fraîchement coupé me reviennent aux narines. Je grimpais sur les tabourets avec toute mon agilité d'enfant de maternelle pour atteindre les gâteries qui refroidissaient sur le comptoir. Ma grand-mère faisait mine de ne pas me voir voler un muffin ou un biscuit, même si ma subtilité était semblable à celle d'un éléphant dans un magasin de porcelaine. Je suis le bébé de cette génération de petits-enfants, et je dois avouer que cela m'a valu maints privilèges de la part de ma grand-maman. Je trichais aux cartes, je mettais mes doigts dans la pâte à gâteau avant qu'elle n'aille au four, je pianotais sur l'instrument à queue antique alors que personne n'avait le droit de s'en approcher à plus d'un mètre, et ma grand-mère me permettait de jongler avec ses foulards de soie cachés minutieusement dans un tiroir dans sa chambre à coucher.

Nous ne parlons plus depuis quelques minutes, obnubilées par des souvenirs déchirants, quand Jasmine propose qu'on prépare ensemble l'un des fameux *fudges cakes* de grand-maman. Nous nous mettons à rire, comme si son idée était loufoque, pour nous diriger ensuite, sans plus de cérémonie, vers le garde-manger et en sortir les ingrédients de la recette — assez composite, mais qu'elle exécutait de manière impromptue — de ma grand-mère. Nous sommes en CF (conseil familial), un moment sacré que nous ne pouvons interrompre que pour une situation extrême. Généralement, le CF est décrété verbalement, aussi officiellement qu'un procès ou une compétition d'athlétisme, mais, aujourd'hui, nous n'avons guère besoin d'une locution interjective pour forcer l'alliance familiale : elle s'est organisée d'elle-même.

Sylvie, Ariel et Belle se lancent dans la préparation du glaçage, alors que Jasmine et moi nous nous attaquons au gâteau.

Gâteau :
1/3 tasse de beurre
1 3/4 tasse de sucre
2 œufs
1/2 tasse de lait
2 tasses de farine
4 cuillères à soupe de cacao
1 1/2 tasse de crème de tartre
3/4 tasse d'eau bouillante
1 tasse de bicarbonate de soude

Glaçage :
2 tasses de sucre
1 tasse de lait
2 cuillères à soupe de cacao
1 tasse de beurre
1 cuillère à thé d'extrait de vanille

Vu la complexité de la recette (ou peut-être n'est-ce que moi qui panique quand une recette contient plus de cinq éléments), on voit que ma grand-mère n'est pas née à cette époque de facilité, de rapidité et d'efficacité qui est la nôtre où le livre de cuisine *Les 100 recettes les plus faciles à préparer* est un best-seller.

La dernière fois que nous avons cuisiné toutes les cinq ensemble, je n'avais pas encore perdu mes dents de bébé. Nous étions d'ailleurs chez Gilette, si je me rappelle bien. Elle avait assigné des tâches bien précises à chacune d'entre nous : ma mère gérait les quantités et la température du four ; Ariel, la plus grande, coupait les légumes ; Jasmine épluchait les patates ; Belle avait la tâche ingrate de désosser le poulet ; et, moi, je mangeais des chips BBQ en « supervisant » le tout (quand je vous disais que j'étais privilégiée...), assise au bout du comptoir avec mon tablier blanc à peine souillé par l'assaisonnement raffiné de mes croustilles Lay's. Aujourd'hui, je m'implique beaucoup plus qu'à l'époque, je suis la recette à la lettre, malgré les quelques variantes qui constellent le plan de Gil (un diminutif dont une Belle adolescente l'a un jour affublée).

Quiconque entrerait en ce moment dans la maison ne se douterait jamais que nous sommes généralement comme chiens et chats. Un peu d'eau dans les yeux, mais le sourire aux lèvres, nous cuisinons avec minutie et enthousiasme comme si nous étions sur le point de remporter une compétition culinaire d'envergure. Le tout se déroule dans un calme certain jusqu'à ce que Jasmine décide de déclencher la guerre pour aucune raison valable, si ce n'est pour atténuer la tension qui règne dans la pièce. Bientôt, nous sommes couvertes de sauce au chocolat et de coquilles d'œufs. Nos cheveux sont décorés d'auréoles de sucre, et nos vêtements, de taches de farine et de traînées de bicarbonate de soude.

Et c'est sans parler du plancher et de l'îlot qui semblent avoir été victimes d'un soulèvement d'aliments, frustrés du traitement que nous leur avons réservé. Nous devons donc recommencer la recette du début. Avant de reprendre nos tâches respectives, nous enfilons des vêtements propres (pourquoi ne pas garder les sales ? — bonne question) et plus décontractés (parce que tout le monde sait que les meilleurs gâteaux au chocolat ne se font pas en jeans, mais bien en joggings mous).

La deuxième tentative s'avère plus concluante. Jasmine parvient à maîtriser ses ambitions militaires en enfilant son pantalon de pyjama (qui voudrait se battre en pyjama, surtout lorsqu'il y a de mignons petits chatons dessus ?). Les quantités d'ingrédients disponibles, qui ont considérablement diminué avec toute cette hostilité, deviennent un élément de persuasion supplémentaire pour calmer nos ardeurs belliqueuses. Le dessert prend finalement forme sous les yeux attentifs de petites filles regrettant l'époque où cette odeur de gâteau qui s'échappait du four ne demandait pas tant d'efforts et d'aptitudes culinaires.

Lorsque notre chef-d'œuvre termine son interminable cuisson (pleurer, ça ouvre l'appétit), nous nous assoyons à table, fourchette en main, et attaquons le gâteau avec une détermination effrénée. Contre cinq femmes affamées (qui, en prime, mangent leurs émotions), le pauvre dessert n'a aucune chance. En quinze minutes à peine, le gâteau fudge, censé nourrir de huit à dix personnes, doit déclarer forfait et laisser comme seuls témoins du massacre quelques miettes chocolatées.

En buvant nos immenses verres de lait (que serait une orgie de chocolat sans son compagnon lactose ?), nous nous rappelons d'autres bons moments passés avec notre grand-mère. Chaque Noël, elle offrait des cadeaux douteux à nos oncles et tantes, comme des linges à vaisselle ou des lampes de poche, mais le faisait avec tellement de bonne volonté et sans aucune malice que ses présents finissaient par devenir le clou de la soirée. D'innombrables bibelots, chez nous, trônent sur les différents meubles et tablettes de la maison, qui proviennent de sa collection personnelle. Même si nous considérons toutes, sans exception, que ces objets hideux donnent à notre demeure un air défraîchi et qu'ils ne servent qu'à nous faire enrager lorsque vient le temps de les épousseter, aucune d'entre nous n'aurait jamais même osé penser s'en débarrasser. Chaque fois que nous croisons le regard intense d'une licorne, celui, coquin, d'un nain de jardin ou l'autre, exorbité, d'une grenouille achetée chez Dollarama, nous avons une pensée pour l'excentrique et inimitable Gilette.

Nous décidons de passer en revue les statuettes de porcelaine de la maison pour en faire un recensement post-mortem. Je me promène dans les différentes pièces avec un paquet de feuilles blanches dans le but de dénombrer les trésors offerts par Gil. Avec ceux que nous avons trouvés dans le débarras, bien emballés dans du papier de soie multicolore, reposant dans une boîte sur laquelle quelqu'un a écrit « divers » au crayon-feutre bleu marine, le compte s'élève à vingt-sept. Ariel semble étonnée que nous n'en ayons pas davantage, alors que je suis plutôt subjuguée par le nombre de cochonneries (pardonne-moi, grand-maman) qui reposent entre nos murs sacrés. Comme nous en sommes à inventorier nos chinoiseries, nous décidons de prendre le temps d'en éliminer quelques-unes des espaces de la maison les plus fréquentés, pour les placer (affectueusement, bien sûr) dans leur cercueil de soie. Chaque fois que l'on statue sur un objet à remiser, le cœur de ma mère semble se casser comme de la porcelaine. Elle accepte nos décisions visiblement réfléchies (quatre jeunes femmes en pyjama n'auront jamais été plus déterminées à classer un dossier), mais se cache les yeux avec les doigts, comme pour s'excuser auprès de sa défunte mère tandis que sont emballés tant de souvenirs. Certains spécialistes nous diront probablement qu'il n'est pas recommandé de forcer les choses dans le processus de deuil, mais les psychologues n'ont pas toujours raison ; les idées folles et les projets saugrenus ont aussi prouvé leur valeur (surtout sous ce toit).

Étrangement, je ne me souviens plus de la dernière fois où nous avons eu autant de plaisir les cinq ensemble. Je n'aurais jamais cru que le décès de ma grand-maman Gilette aurait été source de tant de divertissement. Nous terminons la soirée en regardant *Die Hard* (le premier film, celui dans lequel Bruce Willis n'a pas l'air d'un papi stéroïdé et botoxé), collées les unes contre les autres, comme lorsque nous étions une famille plus soudée, plus normale. Jasmine et ma mère s'endorment après vingt minutes. Belle, Ariel et moi satisfaisons notre envie de voir une nouvelle fois Willis sauver la tour de Los Angeles et ses occupants, avant de border nos deux dormeuses et de retourner chacune dans nos appartements pour plonger dans les sables du marchand.

Chapitre 2

Ricardo sur l'échelle de Richter

Le lendemain, je me fais réveiller par une tortionnaire qui tire violemment mes draps, allume les lampes et ouvre la fenêtre pour que le vent froid désengourdisse mon petit corps découvert. C'est le traitement auquel j'ai droit lorsque j'oublie de programmer mon réveille-matin à 7 h les jours de semaine et que mes sœurs réalisent, souvent trop tard, que j'ai passé tout droit. Jasmine se sauve furtivement après m'avoir provoquée de si cruelle manière, sachant très bien que mes fureurs matinales peuvent atteindre une magnitude de 8,5 sur l'échelle de Richter, ce qui, selon la toile wikipédienne, peut « causer des dommages graves dans des zones à des centaines de kilomètres à la ronde ». Et, avec le traitement qu'elle vient de me servir, cela pourrait bien s'approcher du 9 (« dévaste des zones de plusieurs milliers de kilomètres »). J'ouvre un œil et me tourne vers mon réveil pour vérifier le temps qu'il me reste avant de devoir poser un pied sur le sol. Il est 8 h 45. Les cours sont commencés depuis quinze longues et traîtresses minutes.

Je me lève d'un bond et cherche sur le plancher (là où se trouve l'intégralité de ma garde-robe) quelque chose d'acceptable à me mettre sur le dos. J'enlève mon pyjama, attrape des chaussettes dépareillées, un t-shirt, une paire de jeans noir, mon coupe-vent et des souliers, les enfile et m'élance ensuite dans les escaliers comme si j'étais en procédure d'évacuation d'un immeuble en flammes. Je poursuis mon marathon dans la rue, où je tente d'éviter avec un minimum de classe les nappes d'eau et de boue, puis dans les couloirs endormis de l'école. Je me précipite à ma case (c'est toujours dans ces moments que le cadenas décide de faire des siennes), mets mon manteau sur le crochet, m'empare des bouquins nécessaires à la torture didactique pour arriver, essoufflée, devant le bureau des responsables du deuxième cycle, sans aucune raison valable pour justifier mon retard.

Madame Pouliot, une femme d'une soixantaine d'années, aigrie, qui prend un malin plaisir à critiquer les jeunes d'aujourd'hui en ruminant le fameux cliché du vieux singe — « Les jeunes dans notre temps, ça ne faisait pas ça » ou « Ce n'était pas comme ça dans mon temps » — , me fait sa plus belle grimace matinale et me demande ce qui motive mes quarante-cinq minutes de retard (c'est plutôt trente-sept).

— J'ai oublié de mettre mon cadran, alors j'ai passé tout droit, dis-je, un peu gênée de ne pas avoir de meilleure excuse.

— Vous n'avez pas de parents, vous ? me répond-elle en me pointant de son long doigt ridé de méchante sorcière qui mange les enfants après les avoir attirés dans sa maison en pain d'épices.

— Oui, mais ma mère dormait encore, consens-je à dire sur un ton qui se veut arrogant.

— Elle ne travaille pas, votre mère, comme toutes les autres mères ? continue-t-elle comme si elle testait mes nerfs et tentait de trouver la faille dans mon motif de retard (qui ne peut, pourtant, être plus mauvais ni plus plausible).

J'attends un peu avant de répondre, croyant qu'elle se rétractera après avoir réalisé la bassesse de son commentaire. Mais elle ne dit rien, elle reste là à me regarder avec hostilité et apathie.

— Pouvez-vous me faire un billet d'absence et inscrire dans mon dossier que je suis une petite insolente qui se présente à ses cours en retard et qui a une mère irresponsable, qu'on en finisse, pour que j'aille rejoindre mes camarades dans un autre calvaire pédagogique, s'il vous plaît ?

Je ne suis même pas certaine qu'elle ait compris ma requête, vu la rapidité de mon débit et l'animosité de mes paroles, mais elle se retourne vers son bureau, encore plus irritée que tout à l'heure, et remplit mon billet jaune d'une main contrariée. En me le remettant — comme un policier qui donne une contravention à un automobiliste pris en faute — , elle prend bien soin de m'indiquer que mon attitude face à l'autorité est inacceptable et qu'elle en glissera un mot à la directrice. Découragée par l'absurdité de la situation et par les proportions déraisonnables qu'elle a prises, j'escalade les escaliers pour me rendre au troisième étage, là où mon abattement risque de s'amplifier au son de la voix nasillarde de ma professeure de français. Quand j'ouvre la porte — et même si je fais des efforts considérables pour ne pas déranger la classe — , tous les élèves se tournent simultanément vers moi comme des chiens de prairie qui auraient entendu un bruit suspect aux alentours. Je traverse la salle pour remettre à l'enseignante ce morceau de papier stipulant que je n'ai aucune raison valable d'arriver si tard et vais m'asseoir au fond, à côté d'une Emilia qui me questionne déjà du regard sur la raison de mon entrée remarquée. Je lui fais signe que je lui expliquerai plus tard et écoute gentiment la professeure qui disserte sur les auteurs importants à connaître pour l'examen de fin d'année et sur ce que ces derniers ont apporté à la littérature française du XVIIe siècle.

Tandis que je prends quelques notes dans mon cahier, je réalise, beaucoup trop tard, que j'ai mis mon chandail à l'envers (la grébiche à l'entrée n'aurait pas pu me le dire, au lieu d'insulter ma mère sans raison ?!). À peine une seconde plus tard, mon étui à crayons entame une danse sur mon bureau. Je l'attrape rapidement avant que l'enseignante ne s'en rende compte et je tire mon cellulaire de l'enveloppe pour y voir le texto suivant : *Emilia Ortega : Ton t-shirt est à l'envers.* Je me tourne vers mon amie en train de mimer le message qu'elle vient de m'envoyer. Non, mais, qu'est-ce qu'on ferait sans la technologie ? Je lui souffle, le plus discrètement possible, que je le sais, mais que je n'ai pas l'intention de me déshabiller en pleine classe.

— Mademoiselle L'Espérance, est-ce qu'on vous dérange ? lance alors la professeure devant son tableau électronique qui indique maintenant les œuvres à l'étude.

— Non, madame, vous pouvez poursuivre, dis-je d'une voix soumise et désolée.

— Merci, répond-elle alors avec une irritation non dissimulée.

Emilia rigole dans le col de son pull en laine pendant que je tente de cacher la rougeur sur mes joues. Je reste très attentive jusqu'à ce que la cloche retentisse dans les couloirs et que je puisse enfin me précipiter vers les toilettes et retourner mon chandail pour que les coutures ne soient plus l'unique attribut du vêtement, me tirant ainsi de cette posture embarrassante. Emilia me rejoint à ma case où je change mes bouquins et m'apprête à affronter un nouveau supplice : les — très inutiles — mathématiques.

— Qu'est-ce qui s'est passé ? Pourquoi tu étais en retard ? Pourquoi tu es toute *descabalado* ? me demande une Emilia perplexe.

J'ignore ce que signifie « *descabalado* », mais, à voir son visage, j'irais avec « ébouriffée » ou « ravagée ».

— Tu veux la version longue ou courte ?

— Toujours celle avec le plus de détails, riposte la pipelette. (C'est drôle, ce mot-là ; on ne l'utilise pas assez souvent.)

— Ma mère nous a appris hier soir que ma grand-mère est décédée.

J'ai à peine le temps de terminer ma phrase que mon amie me prend dans ses bras et me serre très fort, comme pour absorber ma peine. J'accepte son accolade, mais la repousse rapidement en lui expliquant que ma grand-mère était déjà très malade et que c'est probablement mieux ainsi (j'essaie, du même coup, de m'en convaincre). Je lui fais un résumé succinct des événements de la veille et de mon réveil brutal avant de me rendre au deuxième cours de la journée, qui s'annonce longue et pénible.

Le troisième cours engendre aussi d'âpres souffrances qui ne sont qu'accentuées au suivant.

C'est pourquoi l'heure du dîner s'avère être un soulagement d'une portée démesurée. Em et moi rejoignons Sandrine et Ellie à notre table (notre nom n'est pas écrit dessus, mais c'est celle que l'on choisit tout le temps), avant d'entamer notre poulet Général Tao qui ressemble à des croquettes de chez McDo dans du miel (on repassera pour l'exotisme). Emilia explique à nos amies — en tenant plus ou moins compte de ma présence — que ma grand-maman est décédée hier et qu'il serait préférable de ne pas en parler pour éviter de me blesser (note à moi-même : expliquer à Emilia le concept de « ne pas en parler »). Comme ma copine est la personne la moins subtile et la moins diplomate de l'univers, nous passons près de quarante minutes à discuter de la mort, des réactions que nous aurions si quelqu'un de très proche de nous s'éteignait, comme c'est mon cas aujourd'hui, et si on préférerait être enterré ou incinéré (soleil, joie, bonheur et coquelicots).

Mais il nous faut bien vite abandonner ces discussions festives pour aller nous changer en vue du cours d'éducation physique. Emilia prend le chemin de la bibliothèque pendant que Sandrine, Ellie et moi nous dirigeons avec l'enthousiasme d'un criminel s'apprêtant à subir son procès vers l'un des pires fléaux de l'histoire de l'humanité (encore une fois, j'exagère à peine) : l'éduc. Je détestais déjà ce cours insignifiant avant que ma sœur ne se fiance avec l'assistant du professeur, mais depuis que ce moron est mon beau-frère, mon calvaire est encore pire. Il dit tenter de me traiter comme les autres, de faire abstraction de nos liens familiaux — très minces —, mais dès que j'entre dans le gymnase s'amorce sa tentative de séduction, pour que mon amertume à son endroit — il en est parfaitement conscient — diminue à un point où je pourrais l'accepter et peut-être même l'apprécier (mais là, je vous le dis tout de suite, il rêve). Ce favoritisme évident amuse beaucoup mes deux copines qui se plaisent encore à l'admirer lorsqu'il fait des démonstrations et des mises en garde, et ce, même si la couleur de sa peau n'est pas celle d'un humain, pour cause d'abus d'autobronzant et de rayons UV artificiels. Pour la gent féminine, les fesses de Max restent la plus grande attraction de l'école et probablement même de leur existence tout entière, à voir la fascination toujours grandissante des filles pour la musculature de ce jeune adulte stupide et inintéressant.

L'alter ego de Brad Pitt s'approche de nous avec un air sérieux; ça y est.

— Salut, Maude!

Je lui réponds de manière détachée. Mes copines me regardent comme si je blasphémais.

— J'ai appris pour ta grand-mère, je suis désolé.

— Merci, mais je vais bien. Elle était malade, c'est sûrement mieux ainsi.

La même rengaine Je n'ai pas fini de la dire, celle-là.

— Ta sœur semble sous le choc, elle pleurait quand elle m'a téléphoné ce matin.

Chère *drama queen*, il faut absolument que toute l'attention du monde soit concentrée sur elle.

— On l'est toutes, réponds-je pour relativiser la peine d'Ariel. Mais comme je te dis, notre grand-mère ne nous reconnaissait plus depuis deux ans. Notre deuil s'est amorcé depuis un certain temps tout de même.

— C'est sûr. Mais si jamais tu veux en parler, je suis là.

Max serait très certainement la dernière personne à qui j'irais me confier si j'avais besoin d'une épaule compatissante, mais, pour ne pas semer la bisbille, je le remercie le plus gentiment et le plus calmement possible.

— Moi, je lui confierais bien des choses en tout cas, intervient une Sandrine aguicheuse, à la limite du mauvais goût, quand repart monsieur Muscles pour animer la classe.

Aujourd'hui, j'ai la chance incroyable de m'humilier grâce au soccer. Sandrine a été choisie (peut-être parce qu'elle faisait des clins d'œil maladroits à Max) pour être l'un des deux capitaines et, comme gagner n'est vraisemblablement pas d'une importance capitale à ses yeux, elle me désigne aussitôt pour faire partie de son équipe.

Le match se déroule exactement comme je l'avais imaginé. L'équipe adverse, composée essentiellement de sportifs et de jeunes déterminés à le devenir, remporte la partie haut la main, pendant que celle de Sandrine reçoit la gifle qu'elle mérite (quand on choisit des esthéticiennes pour conduire des pépines, ça ne peut être qu'un échec). Notre capitaine se révèle, pour le moins, bonne perdante. Elle félicite les vainqueurs avec une sérénité qui nous laisse croire qu'elle était, dès le début, consciente des défaillances de son équipe d'esthéticiennes (je n'ai rien contre les esthéticiennes, ce n'est qu'une image).

Dans le vestiaire, chacun des membres de la brigade de Sandrine a déjà oublié quel était le sport qui leur a valu une défaite cuisante durant le cours d'éduc. Les vaincues parlent (encore!) de Maxime quand je me glisse hors de cet endroit infesté de midinettes et d'odeurs de transpiration, pour aller retrouver ma mère et mes sœurs en deuil.

Lorsque je pousse la porte de la maison, j'entends les sanglots de ma mère et la voix compatissante d'une Jasmine à l'écoute. Belle et Ariel sont aussi assises près d'elle, visiblement responsables de la distribution des mouchoirs. Je me précipite auprès de mes sœurs afin de leur fournir le carburant nécessaire pour épauler notre génitrice dévastée. Belle m'explique que, comme Sylvie « ne travaille pas » (c'est faux, mais c'est ce que pensent ses frères et sœurs trop conventionnels), elle s'est occupée de toute la partie administrative du décès : notaire, service funéraire, notice nécrologique dans les journaux, et qu'en rentrant, il y a quelques minutes à peine, elle s'est effondrée. Après avoir pris une grande inspiration d'air et de courage, notre mère nous annonce que la cérémonie aura lieu samedi après-midi et qu'elle sera précédée de deux visites au salon funéraire, soit vendredi soir et samedi matin. Ma fin de semaine d'études vient d'être légèrement compromise. Je vois une certaine déception dans le regard d'Ariel, qui vient de perdre un de ses précieux jours de fin de semaine consacrés à préparer son mariage à grand déploiement, mais elle a le savoir-vivre (étonnant, quand même) de ne pas se plaindre au visage défait de ma mère.

— Je m'occupe du souper ce soir, dit finalement Jasmine après avoir laissé la poussière des dernières nouvelles retomber.

Jasmine est probablement la meilleure cuisinière d'entre nous, ma mère comprise. Ce n'est pas que Sylvie n'ait pas la volonté de varier le menu et d'essayer de nouveaux mets, mais, la plupart du temps, les résultats sont discutables et manquent de constance et de structure. Alors que Jasmine fait partie de ces jeunes adultes branchés qui ont appris à cuisiner grâce aux émissions de cuisine qui saturent le petit écran. C'est une enfant de Ricardo et de Louis-François Marcotte. Pendant qu'elle nous concocte un repas digne d'un grand restaurant, je m'enfuis dans ma tanière pour commencer cette étude qui sera, semble-t-il, plus complexe que je n'aurais pu le croire. Comme l'examen d'histoire est dans un peu plus d'une semaine, je décide de continuer sur ma lancée, freinée hier par l'annonce percutante de la mort de ma grand-mère.

J'ai à peine une heure pour étudier avant que la princesse arabe ne hurle de la cuisine que le souper est prêt. Comme une bande de louves affamées, nous nous lançons dans les marches, comme si celle qui arrivera la dernière devait être privée de nourritures. Nous nous assoyons à notre place et attendons impatiemment que notre chef nous apporte nos plats. Légèrement offusquée que nous présumions d'emblée qu'elle sera également responsable du service, Jasmine remplit tout de même les assiettes sans rouspéter, et nous les présente avec une fierté non dissimulée. La disposition des plats est assez surprenante. Il s'agit simplement de pâtes agrémentées de quelques crevettes et d'une sauce Alfredo, mais le design que la cuisinière est parvenue à faire avec ciboulette et autres feuillages dont j'ignore le nom invite à la dégustation. En bonnes convives, nous attendons que notre hôte prenne place avant d'entamer le plat. Évidemment, le résultat est aussi bon que beau et, pendant plusieurs minutes, c'est le silence complet dans la maison des femmes L'Espérance. Ariel finit par le briser :

— As-tu vu Max aujourd'hui ? lance-t-elle en me regardant de ses yeux amoureux... et navrants.

— Oui, j'avais éduc cet après-midi, dis-je, déjà exténuée de parler de lui, encore.

Ariel se tait et m'observe avec intérêt, comme si elle attendait que je me lance dans un hommage fébrile à son fiancé (ça n'arrivera pas). Ma mère, comme pour nous épargner — et s'épargner — un autre conflit entourant le choix de mari de la Sirène, dévie légèrement le sujet :

— Comment ça avance, Ariel, les préparatifs de ton mariage ?

Emballée que la conversation porte enfin sur elle, Ariel nous fait un compte rendu détaillé des choses qui lui restent à faire avant la fatidique date du 1er août. C'est à ce moment que j'active le petit singe qui joue des cymbales dans mon cerveau et que je quitte intellectuellement la conversation pour me concentrer sur ma digestion. Je pense aux heures d'étude et de lecture qu'il me reste à me taper avant ce congé béni de deux mois, mais rien de suffisamment cérébral pour déranger le primate musicien, bien affalé sur mon hémisphère gauche. Un claquement de doigts me ramène soudainement sur terre. C'est la Sirène qui, en face de moi, s'agite pour que je l'écoute.

— Quoi ? lui dis-je, légèrement offusquée qu'elle ait interrompu le concerto.

— Je viens juste de dire que l'essayage des robes de demoiselles d'honneur se fera dans deux semaines, juste après ta période d'examens. Ça devait être ce dimanche, mais comme tu dois étudier…

Je m'excuse de n'avoir que quinze ans et d'être encore au secondaire, princesse pourrie gâtée de vingt-six ans qui, comme tout le monde le pense, mais n'ose le dire, se marie beaucoup trop vite et finira divorcée à trente ans avec deux enfants sur les bras et une pension alimentaire insuffisante. C'est ce que j'aurais répondu si je n'avais pas pris quelques secondes pour oxygéner mon cerveau et lui laisser le temps de faire son travail de rationalisation et de perspective.

— D'accord, répliqué-je finalement comme la bonne petite fille que l'on attend que je sois.

Connaissant la Sirène, ces robes risquent d'être les choses les plus hideuses que mes sœurs et moi ayons vues depuis notre naissance. Au quotidien, Ariel a besoin d'être toujours celle que l'on remarque, celle qui fait tourner les têtes et celle qui capte le plus l'attention. Donc, le jour de son mariage, elle risque d'être insupportable et de faire tout ce qui est en son pouvoir pour que personne n'obtienne plus de considération qu'elle. Il est même surprenant qu'elle n'ait pas ajouté un post-scriptum à son faire-part, précisant que toutes les filles qui se présenteront à son mariage avec une robe blanche ou simplement plus belle que la sienne se verront refuser l'entrée. Elle y a probablement pensé, mais a dû réussir à se raisonner (elle prend de la maturité, notre princesse des mers). Mais comme elle est en mesure de contrôler nos tenues, à nous ses sœurs, elle est certainement bien déterminée à faire de nous des horreurs, pour que lorsque nous serons à l'avant de l'église à ses côtés, personne n'ait envie de nous complimenter.

Chapitre 3

Les obsèques de la lionne

Les deux jours précédant les funérailles de Gilette ont été des plus routiniers. Ils se résument aisément par ces quelques mots: étudier, manger, dormir, contenir une Emilia toujours trop intense et chialer. La routine de fin d'année, quoi!

Le moment, redouté, de la première visite au salon funéraire est déjà à nos portes, cette soirée solennelle destinée à serrer les mains de gens que je ne connais pas ou peu et répéter ces phrases qui m'exaspèrent: « Elle a eu une belle vie. » « Elle est mieux ainsi. » « Elle va nous manquer. » « C'était une personne exceptionnelle. » Cette dernière phrase, bien des hypocrites viendront me la souffler à l'oreille. Mais ma grand-mère était une femme forte, une femme qui n'écoutait guère les commentaires désobligeants des autres et se concentrait sur le positif plutôt que sur ce qui aurait pu l'affaiblir. Selon ce qu'elle m'a jadis raconté, elle attirait beaucoup la jalousie des autres femmes dans sa jeunesse, parce qu'elle avait la chance d'avoir été choisie par le plus bel homme du quartier. Mon grand-père était canon, à ce qu'elle prétendait. Toutes les jeunes femmes n'avaient d'yeux que pour lui, et quand il avait demandé sa main, Gilberte était devenue l'ennemie à abattre. Son attitude féministe et sa force de caractère n'avaient pas dû aider ses semblables à l'accepter, mais cette version plus raisonnable, moins shakespearienne et romantique, n'était pas la favorite de ma grand-maman, qui préférait de loin être exclue par amour que pour sa personnalité de guérillero.

Après m'être questionnée pendant plusieurs heures sur la tenue la plus appropriée pour ce genre d'événement glauque, j'opte en fin de compte pour le pantalon noir classique, je prends un veston, également noir, dans la penderie de Jasmine, alors que Belle me prête une de ses camisoles de dentelle crème pour compléter l'ensemble. Mes sœurs portent aussi des atours distingués, dans les mêmes tons sinistres. Il n'y a qu'Ariel qui détonne avec une robe cocktail trop décolletée pour l'occasion. Mais il semblerait que son besoin d'attention est tel qu'elle doit même essayer de faire tourner les têtes des vieux grincheux décrépits qui traînent dans les salons funéraires.

Nous arrivons quelques minutes avant le début du défilé des condoléances. L'endroit, malgré sa fonction macabre, respire la sérénité. Un feu s'active dans un foyer au fond de la pièce, où des divans de cuir noir font office de thérapeutes. Des tableaux de peintres québécois et quelques toiles abstraites anonymes couvrent les murs. L'urne, une boîte noire d'une simplicité sidérante, est auréolée d'une multitude de bouquets de fleurs aux couleurs vives et aux odeurs vivifiantes. Pendant que mes oncles et tantes, cousins et cousines bavardent et s'épaulent dans chacun des coins de la pièce, je m'agenouille devant les cendres et prends un moment pour remercier ma grand-mère d'avoir pris soin de moi comme elle l'a fait. Mes mains collées l'une contre l'autre en prière, je demande à Dieu, s'il existe, de prendre soin de l'âme de cette personne exceptionnelle qui vient de rejoindre son armée d'archanges et le mets en garde contre l'imprévisibilité et la force de caractère de sa dernière recrue. Je dépose un baiser sur mes doigts que je place ensuite sur l'urne dans laquelle se trouvent les restes du corps qui a hébergé l'esprit de Gilberte pendant quatre-vingt-cinq ans. Je fais par réflexe le signe de la croix avant de me relever du prie-Dieu, les yeux pleins d'eau et le cœur gros.

Voyant mon air dévasté, Jasmine se précipite vers moi, jette ses bras autour de mon corps et tente d'apaiser ma douleur, ma perte. Je lui lance alors que tout va bien, qu'elle n'a pas besoin de s'inquiéter pour moi, lorsque ma tante Jacinthe vient apposer vigoureusement sur mon veston ce petit autocollant indiquant que je fais partie des gens en deuil. L'étiquette, sur laquelle figure le visage de ma grand-maman dans ses meilleures années et où est écrit le mot « famille » — en lettres majuscules, comme si c'était une information de la plus haute importance —, fait également office de symbole distinctif pour tous les insurgés qui oseraient sortir du rang et manquer à leur devoir d'affligés. C'est ce dont je me rends compte lorsque ma mère me force à me tenir près d'elle, immobile, pendant des heures, pour recevoir les condoléances de gens que je ne connais pas, souvent trop vieux pour se souvenir des circonstances dans lesquelles ils ont connu Gilberte. Il y a aussi les téteux de sandwichs pas de croûtes qui font mine d'avoir côtoyé ma grand-mère pour profiter du repas gratuit ou des biscuits frais et du café offerts gracieusement par la famille. Les plus intolérables sont probablement ceux qui ressassent des platitudes telles que : « Tu as donc ben grandi ! La dernière fois que je t'ai vue, tu étais grande de même », qui exaspère aussi mes sœurs et tous mes cousins et cousines, qui ne savent jamais quoi répondre à de tels commentaires insignifiants. Ils répliquent habituellement d'un sourire niais et espèrent qu'ils n'auront pas à développer davantage sur le sujet. Pour ma part, mon expression froide et sévère et mes bras croisés repoussent généralement les plus téméraires qui auraient envie de m'entendre élaborer sur ma vie, mes objectifs et mes ambitions scolaires.

Après plus de deux heures de fausse complaisance et de retrouvailles sans intérêt, je m'esquive près du foyer, où les enfants de mes cousins, âgés d'une dizaine d'années, que leurs mères respectives ont forcés à porter une cravate laide et inconfortable pour une arrière-grand-mère qu'ils ont à peine connue, jouent sur leur console portable. L'un en face de l'autre, chacun sur un fauteuil, ils sont obnubilés par les images qui défilent sur le petit écran, tout à fait inconscients du fait que je viens de me joindre à eux.

— Ça va bien, les gars ?

Je n'obtiens pour réponse que quelques bruits de gorge. Je profite donc de leur indifférence pour fermer les yeux quelques secondes en espérant pouvoir jouir d'une ou deux minutes de repos.

— Je te vois, la sœur !

La voix de Jasmine, assise sur un canapé à ma droite, me fait sursauter.

— Qu'est-ce que tu fais là et pas dans le rang, vilaine réfractaire ? dis-je.

— J'ai eu une exemption spéciale pour réviser le texte que je lirai demain à l'église.

Ça m'apprendra, aussi, à ne pas être aussi habile que ma sœur pour écrire des discours. La princesse arabe m'avertit discrètement, d'un léger mouvement de tête, qu'un ennemi approche. Même si je tente habilement de m'enfoncer dans le divan et de ne faire qu'un avec lui, mes tentatives de camouflage ne bernent pas ma tante qui vient me taper sur l'épaule, m'informant que ma mère requiert ma présence dans les rangs. Ma sœur, satisfaite de ne pas devoir retourner serrer des mains, me salue et me sourit d'un air narquois. Je fais une moue dépitée et me lève de mon siège pour rejoindre ma génitrice qui a besoin de sa benjamine en ces temps sombres. C'est du moins ce que je me répète pour me donner du courage. Je fixe un sourire artificiel sur mes lèvres et reprends ma place aux côtés de ma mère.

Comme nous l'avions toutes pressenti, Ariel donne des maux de tête aux veufs, parfois légèrement séniles, qui ont des chaleurs inespérées en voyant sa tenue légère, complètement inappropriée dans les circonstances. Certaines vieilles dames, visiblement frustrées de ne plus avoir le corps de leurs vingt ans, la criblent de regards mesquins et lui accordent à peine un coup d'œil lorsque vient le temps de lui offrir leurs condoléances. Belle joue le rôle de bonne petite-fille éplorée à la perfection. Elle serre la main des étrangers avec une gentillesse désarmante et paraît même intéressée par les vieilles anecdotes de retraités qui regrettent leur jeunesse, une époque où tout était envisageable et où ils n'avaient pas à aller au salon funéraire chaque fin de semaine pour rendre un dernier hommage à un proche.

Lorsque la première journée officielle du festival international des condoléances chez les L'Espérance se termine, j'ai mal aux joues à force d'avoir entretenu mon sourire innocent et mal aux pieds à force de m'être fait labourer les orteils par mes souliers « propres ». Dans la voiture, en rentrant à la maison, ma mère, mes sœurs et moi discutons des personnages farfelus que la mort de grand-maman Gilette nous a permis de rencontrer aujourd'hui. Il y avait cet homme étrange, à la posture voûtée et aux doigts jaunes à cause des nombreuses cigarettes qu'il n'a cessé d'enchaîner depuis son adolescence, et ce, même si on lui a diagnostiqué un cancer du poumon il y a de cela moins d'un an (à ce moment, nous entrons dans une spéculation de jeunes femmes en manque de sensationnalisme). Sa toux était creuse et sa canne supportait à peine son corps depuis longtemps périmé. Il est resté plusieurs minutes devant l'urne de Gilberte ; il chuchotait des mots que personne n'est parvenu à comprendre, et ce n'est pas faute d'avoir essayé. L'étranger a serré la main de la descendance au garde-à-vous avant de repartir, seul, sans donner d'informations à quiconque sur le lien qu'il avait eu avec la défunte. Tout le monde croyait que l'un ou l'autre des enfants connaissait l'identité de cet homme aussi mystérieux que répugnant, mais ma mère affirme qu'après investigation, personne, pas même ma tante Jacinthe — l'une des plus grandes commères de l'univers —, ne savait qui était le fumeur bossu. Nous nous imaginons à cet instant que Gilette, dans sa grande ouverture d'esprit et son laisser-aller remarquable, aurait pu avoir eu un amant dont personne n'a jamais entendu parler. Un secret qu'elle aurait gardé pendant des années sans qu'aucune âme ne se doute de la fourberie des tourtereaux.

— Une histoire qui aurait pu rester secrète à jamais si ce monsieur ne s'était pas présenté à ses funérailles pour lui faire un dernier au revoir, avant de passer lui-même les portes de l'au-delà pour la retrouver, ajoute Jasmine d'une voix qui se veut à la fois énigmatique et mélancolique.

Même si nous sommes toutes trois conscientes du déraillement de notre imagination et des minces chances que cet homme ait véritablement été le gigolo de notre grand-mère, cela nous amuse de le penser. Et ça amène une touche de romantisme nécessaire en cette triste journée.

— C'est quand même fou de penser qu'on peut garder un secret si longtemps et si bien qu'il finit par être enterré avec nous, déclare Ariel qui, beaucoup trop jacasseuse et impudique, ne pourrait jamais laisser un secret mourir avec elle.

Personnellement, cette anecdote — fictive ou pas — m'inspire. J'aime imaginer des histoires, construire des vies à des gens que je ne connais pas, simplement en les observant de loin. L'idée que ma grand-mère ait pu avoir un amant, peut-être plusieurs, et qu'elle ait su garder tous ses proches dans l'ignorance, leur laisser croire qu'elle était une femme comblée par son mari si convoité par les jeunes demoiselles de son quartier me fait penser au dénouement inattendu d'un bon film ou d'une nouvelle bien ficelée. J'aime ce genre de conclusion, et qu'indirectement on en affuble une semblable à l'existence tumultueuse de ma grand-mère me plaît bien. « Ils n'ont jamais fait d'erreur. Il savait qu'il ne devait pas se présenter là-bas, au vu et au su de ses enfants, mais il devait lui rendre un dernier hommage, lui dire une dernière fois comment il avait pu l'aimer. » Ce seraient les derniers mots qui figureraient sur l'épitaphe de leur union, les derniers mots d'une tragédie signée Maude L'Espérance… une adolescente avec beaucoup — probablement trop — d'imagination.

J'en suis à deviner comment ils auraient pu se rencontrer — peut-être était-ce un collègue de mon grand-père ou un ami d'enfance — quand j'entre dans ma chambre et m'effondre sur mon lit. Mes sœurs papotent encore dans la cuisine avec ma mère, qui a bien besoin de se changer les idées après une soirée si dense en émotions. Je ferme les yeux et me rappelle le parfum de Gilette — Chanel n° 5 — et le bruit de l'horloge grand-père dans le hall. Je revois son sourire réconfortant, sa chevelure grise permanentée et sa poudre à paupières bleu ciel. Je repense à son obsession pour les babioles inutiles et les vieux films en noir et blanc qui mettaient en vedette Humphrey Bogart. J'ai besoin de la sentir près de moi ce soir, j'ai besoin de me la rappeler, besoin de réentendre sa voix gutturale qui trahissait une vie d'excès.

Je sors de ma garde-robe encombrée son vieux projecteur, qu'elle m'avait un jour confié pour que la fillette que j'étais puisse jouer à la cinéaste (c'était plutôt un rôle de projectionniste, mais la définition des différents métiers du septième art était encore confuse dans mon esprit d'enfant de dix ans), et le mets en marche. C'est un film de Charlie Chaplin qui débute quand je m'enfonce dans la pénombre, toujours percée par la lueur des étoiles phosphorescentes qui couvrent le plafond de mon repaire. Même s'il s'agit d'une œuvre spectaculaire de l'un des plus grands artisans du cinéma américain, ce ne sont pas les images qui m'intéressent, mais le bruit qui se dégage de la machine antédiluvienne. Ce son me rappelle ma grand-maman plus que tout autre objet ou odeur. Il est symbole de sérénité et d'espoir. Bien qu'il ne soit que 21 h 30, je m'endors, encore vêtue de mes habits de deuil, sur ma douillette en plumes d'oie avec, comme berceuse, le ronronnement de la bobine dans l'appareil.

Ma mère ou l'une de mes sœurs a pris soin d'arrêter le projecteur et de m'envelopper dans une couverture pour que ma nuit ne soit pas écourtée par le froid. Mais, plutôt que de me réveiller une heure avant le départ pour la deuxième séance d'apitoiement, elles ont fait comme à leur habitude et se sont rendu compte beaucoup trop tard que Maude dormait encore alors qu'elles étaient sur le point de partir (je vais finir par le prendre personnel). Résultat : je suis, comme toujours, d'humeur irascible et je porte les mêmes vêtements qu'hier, mais beaucoup plus fripés et beaucoup moins propres, puisque je les ai utilisés comme pyjama. Ariel, habillée plus adéquatement cette fois (un décolleté aussi plongeant, mais une jupe moins courte), décide, dans la voiture, de me mettre quelques touches de fond de teint et une ligne de crayon, sûrement pour estomper les marques d'oreiller et les cernes sous mes yeux. Sylvie se confond en excuses à mon égard, réalisant visiblement que de — presque — oublier sa benjamine pour les funérailles de sa propre mère est un délit d'une gravité substantielle. Elle se justifie en soulignant qu'elle a la tête pleine ces jours-ci et qu'elle ne sait plus ce qu'elle fait. Je lui pardonne immédiatement, en ajoutant même qu'elle n'a pas à s'inquiéter pour moi. J'ai envie de renchérir en déclarant que je suis habituée d'être invisible, mais je sais qu'on me traitera de geignarde (peut-être avec raison), alors je décide de me taire. J'observe dans le rétroviseur central le travail de camouflage qu'Ariel a fait sur mon faciès vaincu par la nuit et l'égocentrisme de ma famille, et je dois avouer que le résultat s'avère assez impressionnant. On est loin d'Angelina Jolie, mais je n'ai plus l'air du Joker. C'est déjà ça de gagné.

J'ai le temps d'engloutir un muffin et d'avaler un jus d'orange au buffet avant que ne recommence la liturgie du rang. Chacun retrouve sa place, et ainsi reprend la parade des demi-sourires et des compliments inconfortables. Je supporte cette mise en scène pendant encore trois heures, puis nous nous rendons tous à l'église.

En tant que fière enfant athée issue de parents catholiques non pratiquants, je n'ai jamais fréquenté l'église, à l'exception de quelques visites, à Noël ou pour un baptême. Ces endroits où s'alignent des vitraux illustrant la vie de Jésus, qui sentent l'encens, le bois et le p'tit vieux me dépriment et me mettent mal à l'aise. Je ne sais jamais si j'ai le droit de regarder ma montre, de jouer à *Angry Birds* (il doit bien exister une version judéo-chrétienne de ce jeu-là) et d'enlever avec mes doigts l'hostie qui reste collée à mon palais après la communion, ou si les comportements de ce genre sont également sanctionnés par la religion. Je n'ai pas le temps d'adresser mes (pertinents) questionnements à ma mère que le prêtre, de sa voix nasillarde, entame la lecture des psaumes (ou quelque autre texte provenant de la Bible).

La première moitié de la cérémonie est d'un ennui mortel. Ariel se met du baume à lèvres depuis vingt minutes, Jasmine se ronge les ongles comme une boulimique — probablement inquiète de la performance qu'elle est sur le point de livrer — et Belle semble plongée dans la lecture de la brochure qu'elle a trouvée sur la tablette devant elle. Je jette un regard derrière moi pour voir si le reste de l'auditoire est plus attentif que mes sœurs et aperçois le fumeur bossu au fond de la nef, seul sur un banc. Légèrement plus soigné qu'hier, il porte une chemise à carreaux et ses quelques cheveux restants sont peignés vers l'arrière. Au contraire de la plupart d'entre nous, l'étranger semble écouter attentivement les paroles de l'ecclésiastique. Je retourne mon attention vers l'avant, lorsque le prêtre annonce que Jasmine parlera au nom des petits-enfants.

Ma sœur se tient fière devant les centaines de gens présents, impatients d'entendre des propos moins formels.

— Un samedi midi comme les autres, alors que les nuages déchargeaient leur fatigue sur les humains, une femme a rendu l'âme dans une chambre d'hôpital.

Sa voix rebondit dans chaque recoin de l'église, et l'écho donne un aspect surnaturel à ses mots.

— Il n'y avait personne à ses côtés lorsqu'elle a rendu son dernier souffle, personne pour l'accompagner dans ce tunnel dominé par une intense lumière blanche, personne pour la rassurer et lui tenir la main.

Ses mots prennent la forme d'une dague qui me transperce le cœur. Pourquoi ai-je abandonné ma grand-maman ainsi ? Pourquoi n'étais-je pas là alors qu'elle avait pourtant tellement besoin de mon soutien ?

— Les gens de la génération du milieu, qui ont dû manger à la table des enfants même s'ils n'en étaient plus depuis des décennies, vaquaient à leurs occupations : école, travail, famille, sans se douter qu'une partie d'eux-mêmes s'éteignait quelques kilomètres plus loin. Nous regretterons toujours de ne pas avoir su ou pu être davantage présents pour cette femme, qui nous a pourtant tout donné.

Des larmes se mettent à couler sur mes joues. Je partage maintenant mes remords avec ma sœur, et sans doute avec les autres petits-enfants qui ne perdent pas un mot du discours accusateur de Jasmine.

— Maintenant trop tard pour s'excuser ou pour se plaindre, nous nous rappelons des anecdotes, des souvenirs, les valeurs et les leçons à tirer de la vie de cette femme exceptionnelle que nous avions la chance d'appeler « grand-maman ».

J'entrevois les pleurs de Sylvie, et Ariel qui sort des mouchoirs de son sac à main.

— L'une se remémore le trou dans la porte vitrée par lequel on passait pour atteindre un boudoir enchanté, le fauteuil de coiffeuse avec casque-séchoir faisant office de convoyeur temporel, et qu'on mettait en marche grâce au pédalier magique de la machine à coudre sous l'escalier. L'autre se rappelle les bonbons dans l'armoire au-dessus du four, et le ragoût de l'infatigable Gilette, dans lequel elle avait un jour oublié de mettre les boulettes et à propos duquel, plutôt que de paniquer, elle avait proclamé d'un ton rieur : « Ça va être bon pareil. » Les garçons, eux, moins démonstratifs, se remémorent la camionnette de plastique jaune et les tournois de cache-cache d'un éminent sérieux, pendant lesquels on s'éclipsait dans les garde-robes sans fin en attendant qu'un cousin rusé découvre notre cachette, derrière les innombrables manteaux d'hiver de notre grand-mère.

Jasmine reste silencieuse un instant pour regarder la foule, pendue à ses lèvres.

— Il y a quelque chose d'ignoble et d'immoral dans cette sordide maladie qu'est l'Alzheimer. Elle enlève l'esprit de ceux que vous aimez jusqu'à ce qu'ils ne puissent plus rattacher votre visage à aucun souvenir. Elle laisse les fonctions physiques intactes pour que les bien-portants puissent s'apitoyer longtemps, devant un être désormais privé de sentiments et de conscience. Il y a tellement de choses que j'aurais voulu dire à grand-maman en deux ans, mais chaque fois que je voyais cette copie rachitique, malade et brisée de ma grand-mère, je me heurtais à une réalité que j'ai mis du temps à accepter : elle n'était plus là. Ce fut un long deuil, un deuil que nous ne pouvions jamais vivre pleinement, puisque son corps exténué était toujours allongé dans une chambre d'hôpital. J'ai compris, après bien des repentances inutiles, qu'elle n'est pas morte ce jour-là. Elle était déjà morte depuis longtemps…

Jasmine descend de la chaire dans un silence hypnotisant. L'assistance se met alors à applaudir avec vigueur et émotion. Il y en a même de plus intenses — comme moi — qui se lèvent pour lui faire une ovation. La princesse arabe a su trouver les mots pour charmer son auditoire et faire comprendre la douleur, l'impuissance des proches parents d'une personne atteinte d'Alzheimer. L'aumônier glisse quelques derniers mots (difficile de passer après ça) et laisse la foule quitter l'endroit sacré. Ma mère, mes sœurs, mes huit cousins et cousines, mes six oncles et tantes et moi nous rendons au cimetière mettre l'urne en terre, pendant que le reste du troupeau peut enfin s'élancer vers le buffet, servi à la salle communautaire, à quelques coins de rue de l'église.

Même si nous n'avons pas pris le forfait « tombeau », nous avons droit au corbillard. Je suis l'une des chanceuses désignées pour prendre place dans la voiture de croque-mort. Le chauffeur — que j'imagine être un ancien cadavre oublié, à voir sa tronche morbide — conduit si lentement qu'on se fait dépasser à deux reprises par des têtes blanches dans une Buick 1979. C'est une course d'escargots désolante qui se déroule sous mes yeux. Mon oncle me demande soudain si j'ai hâte de terminer l'école. Sa question est évidemment un prétexte pour briser le silence inconfortable qui règne dans le véhicule mortuaire, mais elle n'en pas moins stupide.

— Oui, réponds-je avec très peu d'émotion. Plus que deux semaines.

— Tu es en quelle année déjà ? ajoute-t-il.

Si j'avais gagné deux dollars chaque fois qu'un membre de ma famille, un peu confus, m'a posé cette question, je serais milliardaire aujourd'hui.

— Secondaire trois, précisé-je par politesse, sachant qu'en sortant de la voiture tout à l'heure il aura déjà oublié la réponse.

— Et as-tu une idée de ce que tu veux faire dans la vie ?

La question qui tue. Pourquoi les adultes tentent-ils si tôt de nous situer dans une voie professionnelle ? La plupart d'entre nous finiront, de toute façon, en sciences humaines sans maths au cégep et, pour les éternels indécis, en communications ou en administration à l'université, même si on nous présente tous les emplois inimaginables et qu'on nous fait rencontrer un orienteur — aussi qualifié et devin soit-il — dès l'âge de quinze ans. À cet âge, l'avenir est un concept assez vague, et être forcé à le considérer sérieusement si vite entraîne irrémédiablement des problèmes que nous n'avons guère le bagage ou la maturité de gérer. Peut-être qu'en cinquième secondaire, un cours d'introduction au monde du travail serait bien utile, mais, avant ça, c'est de l'acharnement mal placé.

— Je ne sais pas, laissé-je tomber, légèrement distraite par le chemin escarpé qu'emprunte la voiture.

— Vraiment ? Tu n'en as aucune idée ? ! ajoute-t-il avec un étonnement presque insultant.

— Non, pas la moindre idée, répété-je alors que l'automobile s'arrête dans un cimetière entouré de conifères élancés.

Je décide d'ouvrir la portière et de clore ici la conversation, avant que mes incertitudes professionnelles ne deviennent le nouveau sujet d'actualité dans la famille et que ma mère, influencée par ses germains, m'encourage à aller consulter un spécialiste. C'est qu'il ne faudrait pas finir comme le cousin Roland ! Celui-là, il revient dans les conversations chaque fois que les L'Espérance discutent de carrière ou de vision d'avenir. Il habite dans une maison mobile quelque part à la campagne. Personne ne l'a plus revu depuis des dizaines d'années, mais il sert d'exemple à tout vent pour les enfants qui auraient des doutes ou qui traîneraient de la patte quant à leur orientation professionnelle. Il a, semble-t-il (parce que je ne l'ai jamais rencontré, alors peut-être n'est-ce qu'un mythe inventé pour effrayer les moins vaillants), abandonné le secondaire alors qu'il avait seize ans pour travailler dans une usine à un salaire respectable. Il n'a jamais repris les études et, aujourd'hui, à entendre les commentaires malveillants de mes proches, c'est une loque humaine profitant de l'aide sociale pour se gratter la poche toute la journée devant des infopubs de

Magic Bullet. Je garde tout de même une réserve en ce qui concerne la véracité de ces calomnies, connaissant ma famille et son jugement souvent facile.

Ma mère attrape ma main au passage, me détournant de mes réflexions sur le cousin Roland. Nous nous réunissons autour d'un trou d'environ un mètre de profondeur. L'abbé y dépose l'urne, préalablement emballée dans un sac de tulle. Il demande si nous voulons mettre des objets dans l'excavation. Le fils de ma cousine, âgé de deux ans et demi, lance alors le bâton de son suçon, qu'il vient de terminer. Le geste instinctif du petit garçon amuse beaucoup la cohorte et lui donne l'idée de placer dans la fosse des choses que ses membres portent ou ont en leur possession, comme pour commémorer tangiblement nos adieux. Ma cousine Éva laisse tomber un bracelet qu'elle a elle-même fabriqué ; certains, des roses qu'ils ont apportées de l'église ; Ariel, une barrette ; Jasmine, une copie du texte qu'elle a lu pendant la cérémonie. Moi, pas très friande de ce genre de rituel, je regarde les objets au fond du trou et me demande combien de temps il faudra pour que le processus de décomposition ait effacé toute trace de cette journée de juin.

Le prêtre prononce une prière et nous invite à lancer une poignée de terre symbolique dans la fosse. Encore une coutume discutable, à mon avis. Je suis par contre, cette fois-ci, fortement encouragée (pour ne pas dire forcée) à imiter mes semblables par le regard autoritaire de ma mère qui paraît retenir un « fais-moi pas honte » intransigeant. Je lance alors un peu de terre dans la cavité en grommelant en moi-même que ce ne sont que des traditions affligeantes imaginées pour rassurer ceux qui restent. Parce que, ma grand-mère, elle est morte, et ce n'est pas quelques gestes symboliques ou objets fétiches qui l'aideront à passer le temps dans l'au-delà… Peut-être est-ce ma peine qui suscite cet élan de cynisme. Quoi qu'il en soit, je retourne vers la voiture avec une douloureuse amertume coincée dans la gorge. Mon oncle, toujours assis près de moi dans le corbillard, n'ose pas relancer la discussion, interrompue prestement plus tôt. Mon air sévère l'exhorte à se taire, et je dois avouer que j'apprécie qu'il comprenne le message. Je n'ai guère envie de discuter d'avenir après avoir déposé les cendres de ma grand-mère dans un trou.

J'observe les lignes jaunes sur la chaussée sans tourner le regard vers l'intérieur du véhicule une seule fois jusqu'à ce que nous soyons enfin arrivés à destination (c'est toujours plus long quand on roule à dix kilomètres à l'heure de moins que la limite de vitesse permise). J'engloutis quelques sandwichs pas de croûtes et un peu de salade de patates avant d'avertir ma mère que je rentre à pied à la maison — qui n'est qu'à trente minutes de marche de la salle communautaire. Elle tente bien de me retenir, mais n'argumente pas très longtemps lorsqu'elle voit mes yeux qui flottent dans l'eau. Ces derniers jours ont été forts en émotions, mais c'est seulement là, maintenant, que je réalise que je ne verrai plus jamais ma grand-mère. J'étais trop jeune, au décès de mon grand-père, pour m'en souvenir, et je ne vois plus mes grands-parents paternels depuis que l'incapable que je dois appeler mon père biologique a fui ses responsabilités, un après-midi du mois de mai il y a plus de dix ans. C'est donc mon premier vrai face-à-face avec la mort, et je suis loin d'apprécier cette rencontre imposée par la vie. Un apprentissage que les plus raisonnables qualifieront probablement de nécessaire en énonçant quelques condescendantes évidences sur l'inévitable finalité de l'existence.

— Elle comprendra bien vite que la mort fait parti de la vie, diront ces êtres rationnels - imbéciles - en me voyant quitter la réception le cœur en miettes.

Chapitre 4

Examens de conscience

Comme ma grand-mère a décidé de mourir pendant ma période d'examens (pas très cool, ça, grand'man), je n'ai que très peu de temps pour accuser le coup avant de me remettre la tête dans mes livres. Mais peut-être est-ce mieux ainsi ; Jacques Cartier et Molière auront tôt fait de me faire oublier le vide de son absence. La soirée et la nuit dernière ont été assez éprouvantes. J'ai pleuré beaucoup, un peu parce que je regrette de ne pas être allée voir Gilette plus souvent à l'hôpital, un peu parce que je supporte mal l'idée de ne plus jamais avoir la chance de croiser son regard, de voir son sourire. Autant mes sœurs peuvent être méprisantes et égocentriques, autant elles ont su être d'une aide précieuse en ces instants déchirants. Elles m'ont écoutée (même Ariel qui semblait avoir de la vraie peine cette fois-ci ; aurait-elle un cœur ?) et ont tout fait pour me changer les idées. Nous avons joué au Jack Rummy et au Monopoly avec ma mère, encore plus affligée que nous, en mangeant des biscuits Pillsbury aux pépites de chocolat. De beaux moments en famille. Dommage qu'il ait fallu attendre le décès de notre grand-mère pour vivre cela.

Emilia a réussi à me convaincre qu'étudier chez elle en ce beau dimanche après-midi, près de la piscine, en maillot de bain, serait une bonne idée. Le plan était attirant, certes, mais en termes d'efficacité, on a déjà vu mieux. Je suis étendue sur une chaise longue, une limonade à la main, et j'ai envie de tout sauf de me lancer dans une lecture approfondie des auteurs importants du XVIIe siècle ou de me pencher sur des exercices de mathématiques. Em, étendue sur une couverte à ma droite, huilée comme un poulet prêt à rôtir, semble être encore moins motivée que moi. Elle ne bouge que pour changer de côté toutes les quinze minutes, question d'avoir un teint égal (quelque chose qui semblait d'une importance capitale quand, plus tôt, elle m'a expliqué sa routine de bronzage), et pour remplir nos verres stylisés, toujours décorés d'un quartier de citron ou de lime. La vie des gens riches et célèbres. Je me sens vraiment comme une vedette hollywoodienne, cet après-midi, dans la cour arrière de ce palace où vivent Emilia et ses parents bien nantis. La piscine creusée, et bien sûr chauffée, de taille presque olympique, les quelques fontaines qui bordent le jardin de fleurs — jardin qui a d'ailleurs remporté plusieurs prix locaux ces dernières années — et le spa qui nous empêche de grelotter trop longtemps lorsque l'on s'extirpe de l'immense piscine ne sont que quelques-uns des éléments qui contribuent à ma paresse dorée. Pourquoi faut-il que l'école se termine si tard ? Pourquoi ne pourrions-nous pas, nous aussi, comme les cégépiens et les universitaires, terminer les cours quelques semaines avant que le beau temps ne se soit officiellement installé ? Il faudra que j'investigue pour savoir d'où et de qui provient cette injustice qui empêche les plus jeunes de profiter des premières chaleurs de juin. Je ne sais pas encore ce que je ferai avec l'information, mais j'y travaille…

C'est le père d'Emilia, Rodrigo, qui nous convainc finalement de nous plonger dans nos livres grâce à quelque sermon en espagnol auquel je ne comprends rien. C'est la colère de ma meilleure amie qui referme avec fracas la porte-patio et revient avec ses bouquins qui m'a amenée à déceler l'essence du débat (une vraie Sherlock Holmes). Emilia a tout de même réussi à convaincre son paternel de nous laisser étudier au bord de la piscine.

Nous nous installons sous le parasol, étendons nos notes de cours sur la table vitrée, les contemplons pendant quelques minutes, découragées, puis finissons par nous lancer.

Pour rendre l'étude divertissante, nous avons décidé d'en faire un jeu : nous étudions la matière chacune de notre côté et, ensuite, nous nous posons mutuellement des questions pour tester nos connaissances. Là où ça devient amusant (beaucoup plus pour Emilia que pour moi, je tiens à le préciser), c'est lorsque l'une des deux donne une réponse incorrecte : elle doit plonger dans la piscine et faire deux longueurs, dans le style de nage exigée par l'autre. C'est ainsi que je dois faire de la brasse pour n'avoir pas su en quelle année la colonie britannique de Terre-Neuve s'est jointe à la fédération canadienne, du dos crawlé parce que j'ai mélangé myopie et hypermétropie, de la nage papillon (très précaire) pour n'avoir nommé qu'une fonction de l'encéphale, et même le « p'tit chien » pour avoir raté un problème mathématique (et pour faire plaisir à une Emilia beaucoup trop à l'aise dans le rôle de tortionnaire). Lorsque c'est mon tour de poser les questions, je réalise, à ma grande surprise, que mon amie est beaucoup mieux préparée que je ne le suis. Sur dix questions, elle donne seulement deux mauvaises réponses et, pour la féliciter, je lui propose de faire la dernière longueur en style libre. La pseudo-sportive en bikini triangle traverse la piscine d'une manière que l'on peut difficilement qualifier de « stylée » : ses mouvements chaotiques font penser à ceux d'un animal en détresse au milieu de l'océan.

L'exercice, qui peut sembler vain à certains témoins oculaires mal informés, a tout de même l'avantage de me permettre de mémoriser les réponses que j'ignorais. Nous poursuivons donc l'expérience grâce à différentes épreuves sportives, comme la course autour de l'immense propriété, le saut à la corde ainsi que les figures de gymnastique artistique (on peut aisément retirer l'adjectif « artistique » lorsqu'on parle de mes performances) dans le gazon mouillé, et les plongeons qui m'amènent à faire quelques *flats* bien sentis. Conclusion de cet après-midi chaud et ensoleillé : mes performances scolaires et sportives sont de même niveau : piètres. Emilia me donne quelques trucs mnémotechniques pour m'aider à me souvenir de la matière importante. Comme ne retenir que la première syllabe des mots clés ou introduire l'information à mémoriser dans une chanson populaire (vous devriez la voir fredonner de la trigonométrie sur des chansons de Justin Bieber...). Alors que je commence à penser que cette journée est finalement productive et que nous sommes sur le point d'atteindre nos objectifs pédagogiques, je vois apparaître, sur la terrasse des Ortega à quelques mètres de moi, mes trois sœurs en bikini avec leur serviette de plage et un sourire éclatant. Trois caricatures sur deux pattes — la Barbie, l'intello et la rebelle — qui dévalent habilement la légère pente pour atteindre la piscine.

— Ne fais pas cette tête, *sister*. C'est la mère d'Emilia qui nous a invitées, me lance la Sirène avec une pointe de malice qui m'atteint directement dans mon unicité (elles essaient même d'accaparer mes amies).

Emilia embrasse Ariel et Jasmine, mais évite Belle, comme elle le fait toujours. Au contraire de mes deux autres aînées, la Bête semble plutôt mal à l'aise sur le territoire de ma meilleure amie. Et cette dernière paraît assez fière de pouvoir utiliser l'argument « ma maison, mes règles » face à cette Belle qui veut profiter de la piscine comme les autres. Emilia n'a pas la liberté de menacer ma sœur bien longtemps, puisque ma mère et les parents de mon amie nous rejoignent quelques minutes plus tard, apportant crudités et hors-d'œuvre estivaux. Après avoir pris place sur une chaise longue, Sylvie remercie Rodrigo et Évelyne de nous accueillir avec tant d'amabilité.

— C'est la moindre des choses, Sylvie, lance alors Évelyne. Après ce que vous venez de vivre, rester enfermées entre vos quatre murs, ce n'est pas recommandable.

Une image de ma grand-mère traverse le regard de ma génitrice qui se contente de sourire affectueusement.

Maintenant que le troupeau s'est installé autour de la mare, il nous est plus difficile de nous concentrer sur notre étude. Nous décidons, après avoir consulté Rodrigo (nous ne voulons pas non plus avoir droit à une autre admonestation en espagnol), de ranger nos manuels pour aujourd'hui. Les quelques heures d'étude ont été, de toute façon, assez fructueuses pour nous permettre une pause. Peut-être recommencerons-nous après le souper si le cœur nous en dit.

Nous profitons des dernières lueurs du soleil avant de nous installer à table. Rodrigo nous prépare des filets mignons sur le barbecue pendant qu'Évelyne confectionne une salade rafraîchissante pour accompagner la viande, de qualité supérieure, bien entendu. Ces gens ne reçoivent pas avec de la nourriture de calibre intermédiaire. Ils sont nantis, certes, mais également très généreux. Le vin non plus n'est pas de la piquette (un Bordeaux 1986 ou quelque chose comme ça). Pour les mineurs, cependant, c'est de la limonade, encore, mais fraîchement pressée et d'une impeccable acidité (ne pouvant pas complimenter la robe ou le goût du vin, je me contente de juger l'acidité de la limonade ; on fait ce que l'on peut avec ce que l'on a). Quand tout le monde est servi, Évelyne lève son verre et propose un toast au mariage prochain d'Ariel. Évidemment, cette journée avait beaucoup trop bien commencé pour qu'elle ne se termine pas en longue et pénible glorification de l'amour inconséquent que ma sœur porte à un potiche masculin individualiste. Ariel montre encore ses talents de comédienne en feignant la surprise d'être soudain félicitée en public. Elle remercie l'hôtesse avec une joie démesurée. On verrait poindre une larme au coin de son œil hypocrite que je serais à peine étonnée; découragée, oui, étonnée, non. L'attention est toujours tournée vers Ariel. Aujourd'hui c'est son mariage; demain, ce sera une promotion au bar; après-demain, la réussite d'un examen; et le jour suivant, on parlera de ses prouesses parce qu'elle sera parvenue à chasser une tache tenace sur un vêtement... Il y a toujours une bonne raison pour vanter les mérites de la princesse des océans. Je ne suis pas jalouse, seulement irritée par ces dithyrambes que l'on adresse continuellement à cette personne qui, à mon humble avis, ne les mérite pas ou, du moins, pas entièrement. Les verres se cognent et Ariel se lance rapidement dans un récit exhaustif des préparatifs du mariage éblouissant qu'elle planifie pour elle-même.

Je n'écoute pas vraiment. Je tends l'oreille lorsqu'elle mentionne que ses sœurs seront ses demoiselles d'honneur, pour m'assurer qu'il n'est pas question d'autres exigences dont elle aurait oublié de me faire part, mais je n'ai aucune envie de connaître la couleur des serviettes de table et le nom du pâtissier qui confectionnera son gâteau, une pièce unique et, probablement, fort dispendieuse. Lorsqu'elle a enfin terminé de se plaindre de l'immense quantité de travail et du dévouement incommensurable qu'exige la préparation d'un mariage (le sien, je le rappelle ; elle ne déploierait jamais autant d'efforts pour une autre personne qu'elle-même), Ariel invite officiellement Rodrigo, Évelyne et Emilia à la soirée.

— Je vous aurais bien invités au souper, mais Max veut que j'arrête d'inviter des gens, nous avons réservé une salle faite pour recevoir deux cents personnes, et nous avons deux cent cinquante invités, ajoute la Sirène, comme gênée de ne pouvoir offrir à ceux qui lui servent un si bon repas ce soir de meilleurs billets pour l'événement de l'année.

Je suis, je l'avoue, assez flattée que ma sœur invite ma meilleure amie et ses parents à cette soirée qui sera pour moi, sans aucun doute, plus lourde en émotions que les funérailles de ma grand-mère. Je n'ai pas eu besoin d'Emilia à mes côtés au salon funéraire, mais j'aurai certainement besoin d'elle lorsqu'on conviera les nouveaux mariés, Ariel L'Espérance et Maxime Demers (le cœur me lève), à ouvrir la danse. Emilia semble également heureuse d'être invitée à cette fête ; elle pourra porter une robe chic, trop chic pour la plupart des occasions, et danser jusqu'au petit matin sur de la musique trop forte, dont les classiques suivants : *L'incendie à Rio*, *La Macarena* et *Ça fait rire les oiseaux*.

Lorsque nous avons terminé nos assiettes et que la conversation dévie vers les crédits d'impôt et la nécessité de commencer à investir dans des REÉR dans la vingtaine pour s'assurer une retraite aisée, Emilia demande à sa mère si nous pouvons quitter la table pour aller poursuivre notre étude au sous-sol. Évelyne adresse à sa fille un signe de la main, lui donnant ainsi sa permission, et nous nous esquivons promptement avant que cette dite permission ne nous soit retirée par quelque autre détenteur d'autorité parentale.

Dans la suite royale de la dauphine, nous nous trouvons devant un choix difficile auquel tous les étudiants doivent un jour faire face: étudier, ou nous adonner à n'importe quelle autre activité beaucoup moins essentielle, mais beaucoup plus amusante. Emilia propose une partie de billard sur sa magnifique table rose, conçue spécialement pour elle. Question de joindre l'utile à l'agréable, je lui propose une formule semblable à celle que nous avons employée cet après-midi. Chacune pose une question à l'autre, successivement, et chaque bonne réponse nous donne droit à un coup. Cette idée plaît aussitôt à mon amie, qui a su montrer plus tôt ses vastes connaissances. Depuis que cette table trône dans les appartements d'Emilia, j'ai appris à apprécier ce jeu d'adresse qui demande de la concentration, de la technique, un peu de chance et beaucoup d'entraînement.

Nous avons passé plusieurs après-midi pluvieux à améliorer nos effets et à maîtriser l'ensemble de nos gestes pour accomplir le coup désiré. Rodrigo nous a expliqué les techniques de base, mais c'est Internet et YouTube qui ont été les meilleurs enseignants. Le plancher de bois et les murs sont parsemés de trous de boules que nous, débutantes forcenées, avons échappées ou propulsées dans la mauvaise direction. Des blessures de guerre, comme dit souvent Emilia.

En fouillant dans nos notes, je parviens à trouver quelques colles qui, je le savais, détruiraient la belle confiance que s'est bâtie mon amie cet après-midi, dont certaines comportant des mots « savants » comme « Dominion du Canada » et « libéralisation des marchés ». Je gagne la première et la deuxième partie avec un avantage surprenant et, comme mon alliée n'est pas très bonne perdante, elle décide qu'elle n'a plus envie de jouer après sa seconde défaite.

J'aurais probablement insisté pour une revanche si Évelyne ne nous criait pas de la cuisine que le dessert est servi. Nous escaladons les escaliers comme si la mousse au chocolat était un trésor précieux d'une valeur inestimable. Nous nous bousculons comme des gamines jusqu'à rejoindre nos places où mes sœurs nous toisent de leur regard hautain.

La discussion des adultes semble maintenant s'être arrêtée sur Jasmine qui parle aux parents d'Emilia du livre qu'elle est en train d'écrire. La princesse arabe travaille sur un roman depuis plusieurs années, un polar dans lequel un vétéran du service de police d'une petite ville de l'Indiana tente d'élucider le meurtre d'une prostituée ukrainienne qui portait l'enfant du président américain. Une histoire toute simple, quoi… Et, comme cela arrive régulièrement, l'auditoire est bientôt captivé par la jeune femme qui écrit. S'en suit une ribambelle de questions, certaines prévisibles, d'autres plus inopinés : « Quand pourrons-nous l'acheter dans les librairies ? » « Comment fais-tu pour penser à tout ça ? » « Est-ce qu'il y a un aspect biographique ? » (À cette question — que bien des gens posent à ma sœur — j'ai toujours envie de répondre : « C'est l'histoire d'un vétéran du service de police d'une petite ville de l'Indiana qui tente d'élucider le meurtre d'une prostituée ukrainienne qui portait l'enfant du président américain ! Que peut-il y avoir d'autobiographique là-dedans ? ! ») Jasmine, beaucoup plus diplomate et patiente que moi, répond aimablement à chacune des interrogations d'Évelyne et de Rodrigo, démontrant encore ici qu'elle est la plus mature et saine d'entre nous quatre. Après cette première série de questions teintée de fascination, c'est la séquence rationnelle qui suit, comprenant les incontournables : « Crois-tu un jour gagner ta vie comme auteur ? » « As-tu un plan B ? » « Ce doit être un milieu compétitif, tu n'as pas peur ? » Et ma préférée : « Tu ne vas pas finir caissière chez Renaud-Bray quand même ? » Un peu plus et on ramène sur le tapis le cousin Roland et son flagrant manque d'ambition. Ma sœur est une sainte pour essuyer tous ces coups sans broncher et expliquer calmement ses projets d'avenir, et l'importance de croire en ses rêves malgré les embûches. Sa voix est si calme, ses gestes si gracieux et son regard si rassurant que ses interlocuteurs finissent presque tous par croire qu'elle y arrivera, même si quelques minutes auparavant ils étaient tous, sans exception, persuadés du contraire. Jasmine possède une maîtrise d'elle-même époustouflante. Elle a ses moments plus sombres comme tout le monde, mais, la plupart du temps, elle garde la tête haute et froide comme une combattante. J'admire cet aspect de sa personnalité, sa force tranquille. Elle prend le temps d'analyser les situations avant de les attaquer de front, alors que sa cadette (je parle rarement de moi à la troisième personne, c'est plutôt déroutant), impulsive et fougueuse, pointe déjà son fusil sur la tempe de l'ennemi… avant même d'être convaincue qu'il s'agit véritablement d'un ennemi.

À la suite de ces entrevues exclusives que les L'Espérance ont accordées aux Ortega, nous rentrons à la maison, la panse et l'esprit saturés. Après avoir pris une douche pour enlever le chlore qui bouchait toujours les pores de ma peau, je m'installe sur mon lit afin d'entreprendre quelques lectures et de mémoriser certaines informations qui pourraient m'être utiles pour les examens de cette semaine. À peine trente minutes plus tard, mon corps quémande du repos et cesse de coopérer pour me maintenir éveillée. Je n'ai d'autre choix que d'éteindre les lumières, en prenant bien soin de ne pas oublier, cette fois, de programmer mon réveille-matin pour éviter la torture de mardi dernier.

Chapitre 5

Jeune Padawan

À 6 h 30 le lendemain, mon cadran hurle la bonne nouvelle : une autre semaine est à nos portes et n'attend que d'être entamée ! Débordant de l'enthousiasme légendaire des lundis matin, je grogne légèrement, appuie sur le bouton *snooze* du réveil (j'ignore la traduction française de ce mot, et ce n'est pas en ce lundi matin que j'éluciderai l'énigme) à une ou deux reprises avant de m'extirper du lit avec l'agilité d'un ours brun qui sort de sa tanière le printemps venu. Comme la nouvelle fiancée a terminé ses cours à l'université depuis plus d'un mois, tout comme la geignarde cégépienne, j'ai la chance de pouvoir profiter d'une salle de bain vide aux aurores. Peut-être n'y a-t-il pas que des inconvénients à avoir un calendrier scolaire s'achevant à la fin juin…

La maison baigne dans un silence troublant ce matin, pas un son, pas même les ronflements de Belle pour interrompe le tic-tac de l'horloge. Cette tranquillité désarmante me laisse croire que la dernière semaine d'école avant ces vacances si méritées sera supportable, peut-être même agréable. (On dirait bien que le privilège de la salle de bain me rend naïve et bête. Note à moi-même : vérifier si le désodorisant à toilette ne contiendrait pas quelque substance chimique euphorisante.)

Ma feuille de notes à côté du lavabo pendant que je me brosse les dents, je révise les dates importantes de l'histoire du Canada.

1492 : Découverte de l'Amérique par Christophe Colomb.

1519-1522 : Premier tour du monde par Magellan. (C'est qui, donc, lui ?)

1524 : Exploration de Verrazano en Amérique du Nord.

1534 : Découverte du Canada par Jacques Cartier.

1608 : Fondation de Québec par Samuel de Champlain.

1627 : Création de la Compagnie des Cent-Associés. (C'est quoi ça, déjà ?)

1659 : Prise de Québec par les Anglais.

Je peigne mes cheveux et passe en revue les notions que notre professeur nous a fortement conseillé d'étudier pour l'examen :

1. Les trois familles linguistiques autochtones du Québec : algonquienne, inuite, iroquoienne.

2. Le mode de prise de décision chez les premiers occupants : en conseil.

3. Les colonies qui ont participé aux conférences préparatoires et qui n'ont pas adhéré au projet de

fédération : l'Île-du-Prince-Édouard, Terre-Neuve.

4. Les trois volets de la Politique nationale de John A. Macdonald : l'augmentation des tarifs douaniers, le soutien à l'immigration pour coloniser l'Ouest, l'achèvement du chemin de fer transcontinental.

Je saute dans une paire de pantalons (presque) propre et cours dans la maison comme une poule pas de tête (la ressemblance est même sidérante). Maintenant sur le trottoir, des feuilles en éventail à la main, je tente d'introduire de force dans mon cerveau toutes les informations qu'il est capable de retenir en lui précisant (pour l'encourager) que ce n'est que pour quelques heures et que, dès ce soir, il pourra commencer à oublier le lien entre développement industriel et syndicalisation, ainsi que les effets qu'a eus l'Acte de Québec sur la Province of Quebec.

L'école ressemble étrangement à une fourmilière en cette première journée de la semaine d'examens. Les étudiants se bousculent et se refilent ainsi, telle une maladie infectieuse, leurs angoisses et leur crainte de l'échec. Tout le monde, sans exception, a une feuille à la main qu'il examine attentivement, ou récite à voix haute des informations plutôt incohérentes lorsque sorties de leur contexte. La frénésie est palpable et elle ne fait qu'augmenter mon anxiété, déjà assez importante pour que je me ronge les ongles, chose que je ne fais que très rarement — uniquement dans des situations de stress insoutenable, comme en ce moment. Je regarde ma feuille jusqu'à la dernière seconde avant de la laisser choir au fond de ma case et de me diriger, de plus en plus paniquée, vers la salle de cours où une professeure de première secondaire m'attend avec un sourire beaucoup trop jovial (je soupçonne les professeurs d'adorer voir les étudiants dans de telles situations accablantes : « Vous n'avez pas écouté pendant mes cours, payez maintenant ! »). Elle me demande mon nom pour ensuite m'indiquer ma place dans la classe. Je rejoins le deuxième pupitre de la troisième rangée en tentant de retenir les innombrables données dont j'ai imprégné mon petit cerveau d'à peine quinze ans. Mes voisins semblent faire de même, fixant le bureau devant eux comme si les réponses de l'examen y étaient inscrites avec une encre invisible qu'eux seuls pouvaient voir. Lorsque la cloche annonce le début du calvaire, l'enseignante ferme la porte, affichant toujours une allégresse déroutante (peut-être rêve-t-elle à ses deux mois de congés payés qui débuteront sous peu), et distribue les copies d'examen aux otages du ministère de l'Éducation.

Examen final
3e secondaire
Histoire et éducation à la citoyenneté

La lecture de ces mots ne m'encourage qu'à ronger mes ongles avec encore plus de vigueur. J'ignore encore s'il me restera même des doigts après cette longue et pénible semaine de tortures scolaires. Je prends une grande respiration et me lance dans la gueule du loup. Je me dépêche de répondre aux questions dont je suis sûre de la réponse (ou presque), avant de m'attarder à celles qui me posent problème.

Après une heure de débroussaillage et d'ouverture de tiroirs dans ma cervelle fatiguée d'être tant stimulée, il ne me reste que quatre questions où je sèche totalement. Comme je ne crois pas que les réponses surgiront miraculeusement au creux de mon esprit, je décide d'inventer quelques phrases bien tournées qui prouveront à tout le moins à mon professeur que j'ai une imagination débordante et une certaine volonté de réussir. Je relis une dernière fois l'examen dans son entièreté pour vérifier si je ne trouverai pas une manière d'obtenir quelques points supplémentaires et, quand je réalise que je ne peux faire mieux, je me lève (avec un bruit agaçant de chaise qui racle le plancher de bois), remets mon épreuve à Mary Poppins et sors de la pièce. Emilia me rejoint dans le corridor quelques secondes plus tard.

— Puis ? me demande-t-elle, semblant assez sûre d'elle.

— Correct, j'ai raté assurément quatre ou cinq questions, mais le reste était généralement assez faisable.

Mon amie semble se ficher complètement de ma réponse alors qu'elle ouvre sa case pour vérifier si quelqu'un de prestigieux ne l'aurait pas textée (non, mais, ce serait dommage quand même qu'elle manque le texto du maire ou, pire encore, celui de Madonna qui ne peut se décider entre un gloss rose ou pêche et qui a besoin de l'opinion d'une adolescente québécoise de quinze ans pour trancher).

— Pis, Katy Perry t'a-tu écrit? lui lancé-je alors qu'elle sort, fébrile, le cellulaire rose de son sac de cuir fashion.

— Laisse-moi tranquille, me réplique une Emilia offusquée.

Elle attend un moment avant de continuer, sachant que je n'apprécierai pas la suite.

— On sait jamais, Matt aurait pu m'écrire pour me souhaiter une bonne semaine d'examens ou pour me donner des conseils, vu qu'il a fait les mêmes examens l'année dernière.

— Tu ne lui as pas écrit, Emilia? poursuis-je, déjà dépassée par le comportement cinglé de mon amie.

— Je n'ai pas été capable de me retenir hier quand tu es partie de chez moi. Je pensais à lui et je me disais qu'il pourrait peut-être m'aider pour l'examen.

— Non. Tu ne pensais pas qu'il pouvait t'aider pour l'examen, tu voulais savoir s'il te considérait encore avec suffisamment de respect pour te répondre.

La gêne lui monte rapidement aux joues, et elle tente de me le cacher en se dissimulant derrière la porte ouverte de sa case. Après quelques trop longues secondes, je me demande si j'ai encore été trop dure avec l'impulsive Latina. Je finis par m'excuser en précisant que je n'aurais pas dû être si abrupte.

— *No pasa nada*, dit-elle en refermant le battant. C'est juste que ça prouve qu'il ne me respecte plus.

Emilia réutilise les mots que je viens d'employer pour que j'en saisisse la violence.

— Mais non, tu sais bien comment je suis...

Je la regarde un instant, cette étincelle d'espoir naïf brillant toujours dans ses yeux noisette, et j'ajoute :

— Je dis toujours n'importe quoi.

Mon amie rigole un instant et m'accompagne jusqu'à la bibliothèque où nous nous lançons dans l'étude en vue du prochain examen : celui de mathématiques. Malheureusement pour moi et heureusement pour elle (il faut bien qu'elle se repose un peu), je n'ai pas énormément besoin de ma mémoire pour le prochain contrôle. Seul mon esprit logique et d'analyse sera requis.

J'entreprends donc de stimuler mon hémisphère gauche en tentant de déterminer la valeur de X et de Y (pourquoi c'est X et Y, pourquoi pas D et U ?) dans différentes équations du manuel d'exercices.

Nous sommes plongées si profondément dans nos calculs que nous oublions d'aller dîner. Lorsque nos ventres crient famine et que nous levons les yeux vers l'horloge, nous réalisons qu'il est déjà temps de nous rendre à notre salle de cours pour la seconde fouille à nu de nos connaissances. Nous dévalons les escaliers, déposons nos livres dans notre case (Emilia a tout de même le temps de vérifier son téléphone) et nous précipitons vers la salle de cours numéro 130.

C'est cette fois notre vrai professeur de mathématiques qui surveille l'examen. Lui aussi semble animé d'une gaieté démesurée. Je vais finir par croire qu'ils se sont donné le mot pour nous provoquer. Encore une fois, on m'indique ma place, je m'assois et attends patiemment la copie susceptible de me faire haïr l'école et l'adolescence encore davantage. Lorsque je la reçois, je me lance, calculatrice scientifique à la main, dans les équations élaborées spécialement pour nous par un adulte — imbu de pouvoir — probablement fier de ne plus être celui qui doit les résoudre. À mon grand bonheur, les questions s'avèrent généralement faciles ; aucune ne m'oblige à être créative et à inventer une réponse pour convaincre le professeur de ma motivation. Ce n'est par contre pas le même combat pour Emilia qui, à ma droite, prend son visage entre ses mains, découragée, et soupire à plusieurs reprises comme pour évacuer sa frustration.

Je termine les cinq pages en moins d'une heure, mais je dois attendre encore trente minutes dans les escaliers de l'atrium que mon amie ait terminé de remplir le questionnaire. J'aurais pu rentrer directement à la maison pour étudier pour l'examen de biologie, qui risque d'être ardu, selon ce que notre enseignante nous a annoncé, mais je veux m'assurer que mon amie est parvenue à surmonter le supplice des mathématiques. Lorsqu'elle me rejoint, Emilia a la mine basse et hoche la tête en signe de désespoir.

— Je déteste les maths, balance-t-elle en jetant son étui à crayons dans les marches avant de se laisser tomber pour s'asseoir à mes côtés.

Je ne sais trop quoi dire pour alléger sa déception.

— Est-ce que ç'a été si mal que ça ?

Bien consciente que je pourrais faire mieux, c'est la seule chose que je trouve à dire pour alimenter la discussion. La Latino-Américaine me regarde avec des yeux mauvais et répond :

— Ça aurait difficilement pu être pire.

Elle se lève pour aller récupérer ses livres dans sa case et je lui emboîte le pas, ne sachant trop quoi faire ou dire qui pourrait la mettre de meilleure humeur et lui faire oublier cet échec. Le silence reste la meilleure de mes options pour le moment. Emilia débarre son cadenas, la bouille toujours piteuse, et c'est seulement lorsqu'elle retrouve son fameux cellulaire, son talisman, son porte-bonheur, que son visage reprend des couleurs et qu'elle recommence à vivre.

— Il m'a écrit ! lance-t-elle, hystérique.

Elle tremble tellement et a tant de difficulté à gérer ses émotions composites qu'elle est à peine capable de lire le message de celui qu'elle est censée considérer comme son ami.

— Il nous invite au feu de camp de fin d'année avec ses chums dans le bois jeudi soir !

— « Nous » ?

C'est évidemment la première chose que je réplique à cette soudaine poussée d'adrénaline.

— Tu ne me laisseras pas aller là toute seule, quand même ! déclare-t-elle, tentant de jouer sur mes sentiments en faisant appel à mon âme charitable (je ne savais d'ailleurs même pas que j'en avais une).

Je résiste quelques minutes alors que nous marchons en direction de nos maisons respectives, en ce beau et chaud après-midi de juin, mais je finis, bien sûr, par flancher (c'était inévitable si je ne voulais pas avoir droit à ses désagréables techniques de chantage) et accepte de l'accompagner à ce qui, j'en suis certaine, sera une perte de temps monumentale et une chute vertigineuse de mon amour-propre... autour d'un feu de camp cette fois-ci. Emilia, surexcitée, m'enlace avec énergie avant de tourner le coin de la rue pour rejoindre son palace de deux mille mètres carrés. Quiconque la verrait gambader ainsi sur le trottoir comme une gazelle ne se douterait jamais qu'elle vient d'échouer lamentablement (ou peut-être a-t-elle exagéré l'ampleur de ce revers...) à un examen de mathématique. Il y a cela de beau avec l'adolescence: nous avons si peu de vrais problèmes qu'ils disparaissent de notre esprit dès qu'un nouveau projet, suffisamment excitant, les y remplace.

Je retourne à la maison, confiante en ma réussite aux deux examens, assez du moins pour être persuadée de ne les avoir pas coulés, mais dépitée de m'être encore fait embobiner par ma meilleure amie et ses plans sataniques. Même si je me doute que Simon sera présent pour célébrer le début des vacances autour de ce feu de joie, il reste tout de même une faible possibilité (lueur d'espoir!) qu'il attrape une vilaine gastro (c'est tout ce qu'il mérite) ou doive assister à une réunion de famille quelconque, ce qui l'empêcherait de s'y rendre.

Je décide d'oublier ces soucis pour l'instant et de me concentrer sur l'étude du troisième examen, celui de biologie. Encore une fois, bien plus de mémorisation que de véritable analyse logique. J'engloutis un sandwich en vitesse sur le coin de la table de la cuisine avant de me replonger dans mes livres. Je lance la deuxième fléchette quotidienne au visage de Simon en espérant de tout cœur ne pas avoir à l'affronter en personne à la fin de la semaine. J'essaie de réviser intelligemment. Les notions avec lesquelles j'ai le plus de difficulté, je les retranscris sur une feuille et tente de les mémoriser en arpentant les pièces communes et les escaliers de la maison. Je n'ai pas de piscine dans laquelle exécuter des longueurs pour m'aider à retenir la matière, alors je tire parti de la marche à pied et des deux étages — sans chipie indiscrète à mes trousses (elles sont où, elles, d'ailleurs?) — de mon humble résidence. J'aurai au moins appris cela cette année pendant ma période d'examens: associer une activité physique à un exercice intellectuel s'avère être d'une efficacité sidérante, surtout pour assimiler beaucoup de choses à la fois, comme l'exige le ministère de l'Éducation. Je suis heureuse d'être seule dans la chaumière lorsque j'explique à haute voix le parcours du sperme ou que je nomme les principales maladies vénériennes (vous devriez me voir trottiner dans les différentes pièces en scandant

« gonorrhée ! » et « syphilis ! »). Je suis heureuse, finalement, que ma mère se soit absentée — elle est visiblement sortie avec mes sœurs — en ce lundi, puisque j'aurais eu droit, à coup sûr, à la version de la sexologue et à son discours interminable sur les ITS (encore que ce serait probablement le meilleur moment pour l'entendre). Je répète les parties de l'anatomie du système reproducteur ainsi que celles de l'œil, jusqu'à ce que mon corps quémande du repos.

Lorsque je m'étends sous mes draps, j'entends la porte d'entrée claquer et deux ou trois pimbêches papoter jusqu'à leurs chambres respectives. Ma curiosité insiste pour que je sorte du lit et leur demande où elles étaient passées, mais ma lâcheté — toujours dominante chez moi face à la curiosité — m'empêche de bouger un orteil ; tous les dix sont recroquevillés dans ma douillette en plumes d'oie. Il faut moins de quinze minutes pour que les piaillements de mes sœurs ne deviennent qu'une sourde rumeur et que mon corps plonge dans un sommeil réparateur.

Le lendemain matin, dès l'aurore, tel un soldat dédié corps et âme à une mission cruciale, je me lève — étrangement assez promptement — , m'habille, me tresse les cheveux à la hâte, attrape mon sac à bandoulière et pars pour l'école avec une curieuse confiance. La nuit a su consolider mes acquis, et j'ai l'impression aujourd'hui d'avoir fait du bon travail de dépiautage et de connaître la matière sur le bout des doigts. En route vers l'école, je révise tout de même mentalement certaines choses que j'avais inscrites sur ma feuille, mais je suis assez confiante en ma réussite à cet examen. La matière m'intéresse et s'avère plus facile à retenir que ces détails inintéressants sur la Nouvelle-France qui n'avaient aucun point d'appui, au contraire de la biologie qui présente au moins des notions d'une logique assez implacable.

Emilia est déjà assise à la place qu'on lui a assignée lorsque j'entre, à 8 h 30, dans la classe remplie d'adolescents anxieux. Malgré les menaces du professeur, les questions sont tout de même faciles.

La moitié du groupe a déjà quitté la salle une heure après que le surveillant nous a remis les copies. Je fais partie du nombre et ma meilleure amie également. Nous célébrons notre triomphe (rien de moins) sur l'heure du dîner avec un sous-marin Subway au poulet grillé (laissez faire le champagne, on se contente d'un sandwich). Pendant que nous nous goinfrons de restauration rapide moins culpabilisante que les mets du Poulet Frit Kentucky, Emilia divague à propos de l'invitation de Matt et s'imagine, même si elle ne l'avoue pas directement, dans ses bras devant le feu pendant qu'un figurant chante *La complainte du phoque en Alaska* en s'accompagnant à la guitare. Je vois la scène dans ses yeux et, évidemment, elle me donne encore moins envie de l'accompagner à ce qui sera, j'en suis persuadée, une entreprenante démarche de séduction qui se conclura dans les larmes et les regrets. Question de m'encourager, je me dis que c'est justement pour cette raison que je dois suivre Emilia, pour l'empêcher de commettre des actes irréversibles et de finir la soirée, inconsolable, seule entre deux conifères.

Après cet arrêt au puits, nous replongeons de plus belle dans le travail. Installées sur le parvis de l'école, entre les gommes mâchées et les vieux mégots de cigarettes, nous nous posons, à tour de rôle, des questions en anglais. La quatrième évaluation de cette semaine interminable est une présentation orale individuelle avec le professeur qui doit nous questionner sur nos projets pour les vacances, tout en évaluant nos aptitudes à communiquer et à formuler des phrases complètes et cohérentes. Mon problème majeur se trouve dans les temps de verbes. Il faut nous exprimer au futur, et pourtant je m'entête à utiliser le *past perfect* et le *past participle*. Si on s'évertue tant dans les cours à nous faire apprendre ces conjugaisons, pourquoi ne vérifie-t-on pas si on les connaît ? Je pose la question à Emilia qui semble plutôt soulagée de ne pas avoir à les employer cet après-midi.

— Tu crois qu'il pourrait être chien et nous demander de raconter ce qu'on a fait l'été dernier ?

D'emblée, je réponds que non, qu'il ne peut pas nous faire ça, mais après réflexion je me dis que c'est précisément le genre de feinte qui plaît à monsieur Black. Nous nous mettons donc à réviser tous les temps de verbes, nous sentant soudainement beaucoup plus futées que la moyenne des ours. J'interroge mon amie sur ses activités estivales de l'an dernier et elle tente (parce que je ne suis pas certaine de la suivre ; c'est mon anglais qui est minable ou le sien ? — dur à dire) de me relater quelques événements survenus il y a de cela un an. Lorsque vient mon tour, je lui raconte la fois où Ariel a perdu la culotte de son bikini dans une glissade d'eau au parc aquatique ; Jasmine, Belle et moi étions trop hilares pour lui porter secours.

Nous nous sentons relativement à l'aise quand nous nous présentons — à dix ou quinze minutes d'intervalle — devant le professeur. Bien que ce soit moins gênant que devant une classe de trente élèves prêts à critiquer nos moindres erreurs pour se persuader eux-mêmes qu'ils sont meilleurs, ce face-à-face avec un enseignant, crayon à la main, n'est pas des plus agréables. Monsieur Black commence par me saluer gentiment (en anglais, bien sûr) et entre ensuite dans le vif du sujet.

— *What are your plans for this summer?*

Il a donc respecté ses directives et semble vouloir que j'utilise le futur. Je m'efforce de formuler mes idées avec le plus de clarté possible, même si je suis consciente que mon accent laisse sérieusement à désirer. Le professeur me demande à quelques reprises de ralentir. Lorsque je suis paniquée, il m'arrive d'augmenter mon débit et de devenir incompréhensible, même en français (imaginez en anglais !). Après trois longues minutes de discussion, monsieur Black me remercie (toujours en anglais) et me souhaite de bonnes vacances.

Plus qu'un examen — français — et elles seront enfin là, ces vacances. J'attends dans le couloir qu'Emilia ait terminé son entrevue avec Black pour faire le chemin du retour avec elle. Même lorsqu'elle me casse les oreilles avec ses amours impossibles (qu'elle croit possibles), c'est toujours plus agréable de marcher en sa compagnie qu'en solitaire. Ma camarade paraît déçue de sa performance quand elle passe le pas de la porte.

— *Detesto el inglés*, dit-elle en accélérant le pas jusqu'à sa case.

Je cours à sa suite, prévoyant une période de bouderie et de panique probablement injustifiée. Je devrai peut-être ramener moi-même l'histoire du feu de camp dans la conversation pour lui changer les idées (quelle bonne amie je suis !). Lorsqu'elle réussit à débarrer son cadenas après trois tentatives infructueuses, et ouvre la porte de sa case avec une fougue certainement elle aussi injustifiée, j'ose lui demander ce qui s'est passé.

— Il s'est passé que j'ai figé, je ne savais plus quoi dire, les mots se sont emmêlés dans ma bouche et il a dû me poser une nouvelle question complètement hors sujet pour que je puisse enfin raconter quelque chose de sensé.

— Tu as donc réussi à tenir une discussion quand même, souligné-je d'une voix douce pour tenter de l'encourager.

Emilia prend une grande respiration et met ses idées en place avant d'ajouter:

— J'ai été complètement déstabilisée. Je ne sais pas pourquoi, mais je ne savais soudain plus quoi dire. Mais, bon, c'est du passé, ressaisissons-nous, déclare-t-elle en secouant la tête comme pour effacer les pensées noires.

— Et toi? Comment ça s'est passé?

— Assez bien, en fait. Je lui ai parlé du mariage d'Ariel, du fait que j'allais être demoiselle d'honneur. Il m'a ensuite questionnée sur ma famille et sur ma relation avec mes sœurs. Je lui ai dit que nous étions très proches et très soudées, bref, j'ai menti, confessé-je finalement.

Je vois poindre un sourire sur le visage d'Emilia qui s'exclame:

— Vilaine petite fille qui ment à son professeur!

— C'était un petit mensonge de rien du tout et, de toute façon, je ne connais pas suffisamment de grossièretés en anglais pour me mettre à disserter sur les trois chipies.

— Tu es donc absoute, mon enfant, ajoute Emilia tout en dessinant un signe de croix sur mon front.

— Absoute, hein?

— Il n'y a pas que toi qui as du vocabulaire, apprentie Padawan.

— Wow! m'exclamé-je. Même des références à *Star Wars*! Je ne te reconnais plus!

— Ça vient de *Star Wars*, ça, Padawan?

C'était trop beau.

Elle rigole, je rigole, et, juste comme ça, elle oublie ses défaillances linguistiques et prend le chemin du retour à mes côtés, armée de sa bonne humeur habituelle. Nous parlons un peu de l'examen de français de demain, qui ne demande que très peu d'étude, puisqu'il s'agit d'une composition écrite, et Emilia m'explique qu'elle doit aller souper avec sa grand-mère dans un centre pour personnes âgées, car c'est son anniversaire; elle a quatre-vingt-neuf ans. Je ressens alors un petit pincement au cœur et repense à cette petite boîte noire contenant les cendres de Gilette, et que l'on a enterrée la fin de semaine dernière. Mon amie remarque mon expression affligée et s'excuse avec empressement.

— Ce n'est pas grave, je vais m'y faire. Mais elle me manquera.

Tout en continuant de marcher, Emilia s'agrippe à moi et pose sa tête sur mon épaule gauche pour me témoigner sa compassion. Alors que généralement nos balades quotidiennes sont assez verbeuses (elle bavasse, moi j'écoute), nous sommes aujourd'hui silencieuses, toutes deux incertaines d'avoir les bons mots pour parler de la mort et de la vieillesse. Avant de me quitter, au coin de sa rue, elle me serre dans ses bras sans un mot et s'éloigne d'un pas léger, mais moins allègre qu'à l'habitude.

Ce soir, je n'étudie pas. J'ai suffisamment révisé les règles des participes passés ainsi que les auteurs dont on pourrait me demander de parler. Je décide donc de profiter de ce temps libre, durement acquis, pour écouter des séries télé avec Jasmine, assise en tailleur et enveloppée dans une doudou, un bol de pop-corn que je saupoudre allègrement d'assaisonnement au ketchup entre mes jambes repliées. Le bonheur ressemble, à quelques détails près, à ces moments de farniente improvisés.

Chapitre 6

Feu feu joli feu

Le lendemain matin lorsque le cadran rugit et m'oblige à ouvrir les yeux, je souris à l'idée qu'il s'agit de ma dernière journée d'école, ma dernière journée d'étudiante de troisième secondaire. Plus que deux années scolaires avant un semblant de délivrance. Comme mon examen n'a pas lieu avant midi, je prends le temps de me coiffer et de m'habiller avec davantage de soin que les autres matins. Un bonheur excessif m'anime en ce jeudi bienheureux de juin. Je me dis qu'un été de tranquillité m'attend (à l'exception du mariage de ma sœur) et je me sens légère et prête à entreprendre ce dernier examen qui me donnera enfin droit à ma dispense de deux mois. Emilia, que je retrouve sur le chemin de l'école, semble habitée par une frénésie semblable à la mienne. La gazelle galope sur le trottoir comme si, par ces mouvements, elle tentait de canaliser sa joie immense.

— Je vais voir Matt ce soir ! dit-elle entre deux bonds.

Alors que son extase décuple, la mienne s'amoindrit jusqu'à ce que je retrouve mon cynisme habituel. La fébrilité de la dernière journée d'école m'avait presque fait oublier mes engagements (heureusement qu'il y a ma meilleure amie pour me les rappeler et anéantir mon euphorie). Je tente d'orienter la discussion vers un sujet plus universel et moins démoralisant pour moi :

— Tu réalises qu'on termine le secondaire 3 aujourd'hui ?

Emilia s'arrête brusquement de sautiller comme si je venais de lui donner une information cruciale. Trop obsédée par sa rencontre de ce soir avec son ex-amoureux dont elle est toujours éprise, il semble qu'elle n'avait pas encore réalisé que c'est aujourd'hui le début des vacances. Quand elle en prend enfin conscience, elle recommence à gambader, mais cette fois avec beaucoup plus d'entrain. Je pense même un moment à changer de trottoir et à feindre de ne pas la connaître, tellement son enthousiasme est débordant (et un peu gênant). Elle se permet même d'incorporer quelques cris du cœur comme « c'est la plus belle journée de ma vie !! » (rien de moins) à ses mouvements hystériques.

Comme elle tient tout de même à préserver sa réputation et qu'elle est consciente de l'inélégance de sa course, Emilia se calme lorsque nous arrivons à quelques mètres de l'entrée de l'école. À l'intérieur, les étudiants sont excités et s'agitent dans tous les sens. Plusieurs transportent le contenu douteux de leur case dans un sac ou dans une boîte, alors que d'autres, finissants, s'affairent à signer l'album de leurs camarades. Nous avons de la difficulté à nous rendre jusqu'à notre case, tant les gens sont entassés dans tous les coins et s'affolent comme des abeilles dont un petit sacripant aurait détruit la ruche à coups de branche. L'enfièvrement général a tôt fait de ramener en moi la joie qui m'habitait avant qu'Emilia ne me rappelle mes promesses.

Il ne reste que très peu de choses dans ma case : quelques feuilles de papier chiffonnées, un paquet de gommes au fruit de la passion, un cahier de mathématiques et une petite affiche du film *(500) Days of Summer* que j'avais accrochée derrière la porte. Mais il me fera tout de même grand plaisir de la vider en fin de journée.

Prisonnière comme moi du remous d'élèves surexcités par leurs derniers moments d'école, Emilia parvient à nous frayer un chemin jusqu'aux escaliers. Le deuxième étage est, au contraire du premier, plongé dans un silence troublant. Notre groupe est probablement le seul qui n'ait toujours pas terminé ses examens. Dans la classe, plusieurs étudiants, eux aussi gagnés par l'effervescence de la fin, discutent de leurs projets de vacances. Personne ne semble vraiment s'inquiéter de la dissertation qu'il nous faudra rédiger dans quelques minutes à peine.

Je m'assois sur une chaise bancale et attends, en tentant de contenir ma joie, les instructions pour la rédaction. La professeure écrit au tableau la question qui sera le sujet de notre texte, et nous souhaite bonne chance avant de nous rappeler que nous ne sommes pas en vacances avant d'avoir remis notre copie. Elle aussi ressent l'énervement général et craint, visiblement, que ce dernier ne nuise à nos compétences rédactionnelles (et elle a sûrement raison).

L'écriture va bon train. Une heure et quart après le début de l'épreuve, j'en suis déjà à faire une dernière lecture et à corriger mes fautes d'orthographe. Je tente de minimiser les dégâts en relisant attentivement mon texte, sachant pertinemment que j'omets, involontairement bien sûr, des erreurs évidentes parce que je finis par connaître mon document sur le bout des doigts et ne vois plus les erreurs d'inattention qui s'y sont glissées. Après trente minutes de relecture méticuleuse, j'abandonne ; advienne que pourra.

Emilia me suit une minute plus tard, me rejoignant dans le couloir en gambadant et en chantonnant : « Nous avons fini l'école, nous sommes en vacances ! Tralalalalère. » Pour une fois, sa fièvre me contamine et je me mets à sautiller à ses côtés jusqu'à nos cases respectives que nous vidons, avec une exultation démesurée, dans nos sacs d'école.

— Est-ce que tu viens fêter ça chez nous sur le bord de la piscine ? Et après on pourrait se préparer ensemble pour aller rejoindre Matt.

Elle a prononcé le nom de Matt avec un sourire dans la voix, un enchantement qui ne me plaît guère, mais qui, cette fois, ne parvient pas à assombrir ma joie. J'accepte en lui précisant que je vais passer chez moi avant pour prendre mon maillot de bain et des vêtements plus chauds pour ce soir. Comme d'habitude, nous marchons ensemble jusqu'au coin de sa rue et je termine mon chemin seule.

J'entre dans mon humble demeure et me dirige vers la cuisine. J'aperçois, à travers la porte-patio, deux épaves en bikini étendues sur une chaise longue. Jasmine et Belle profitent des derniers rayons du soleil de l'après-midi pour peaufiner leur bronzage. M'ayant entendue arriver, la princesse arabe se lève pour me féliciter d'avoir réussi ma troisième secondaire. Je la remercie, mais ajoute que je n'ai pas encore eu les résultats des derniers examens. Elle me répond qu'elle sait que je vais réussir et retourne se blottir dans la chaleur de l'été à peine entamé. Belle, pour sa part, ne bouge pas d'un poil, même si je suis persuadée qu'elle a remarqué le mouvement de ma sœur et m'a aussi entendue arriver. Je n'en suis pas offensée pour autant ; je connais la Bête et n'exige pas d'elle autant que d'éprouver de la sympathie pour moi.

Je descends à ma chambre et mets un costume de bain et un chandail à capuchon dans un sac de plage. Je me regarde quelques instants dans la glace pour en venir rapidement à la conclusion que mes jeans et mon t-shirt Garage sont adéquats pour l'activité et la température. Lorsque je demande aux deux épaves d'avertir maman que je ne serai pas là pour souper et que je serai probablement de retour aux alentours de minuit, elles me font un signe de la main pour me signifier qu'elles ont compris, sans broncher davantage.

J'entre chez Emilia comme si c'était chez moi, sans frapper. La Latino-Américaine est déjà assise sur une des marches immergées de la piscine, les yeux fermés, le corps tourné vers le soleil. J'en profite pour m'approcher à pas de loup de façon à ce qu'elle ne remarque pas ma présence et, d'un coup de main sur l'eau, l'arrose avec un contentement non dissimulé. Sa première réaction est un hurlement de colère: « Mes cheveux ! », comme une vieille matante de soixante ans qui vient de sortir de chez la coiffeuse pour sa mise en plis hebdomadaire et qui craint que l'eau n'agisse comme un décolorant. Après avoir repris ses esprits (et réalisé qu'elle n'est pas une matante de soixante ans), elle me pourchasse autour de la piscine pour me jeter à l'eau. Avant qu'elle n'en ait la chance, je me catapulte dans le bassin ; mes cheveux à moi peuvent être mouillés sans trop de répercussions. Emilia décide de ne pas m'imiter et, de son air sévère de femme mûre, elle me demande de ne pas recommencer. Je lui réponds, non sans plaisir : « Oui, matante, pardon, matante », ce qui ne fait que décupler sa frustration. J'exécute quelques pirouettes sous l'eau et quelques chandelles avant d'aller m'asseoir près d'elle, maintenant étendue sur une serviette dans l'herbe. Son air encore contrarié me force à faire amende honorable.

— Je m'excuse, Em, je me sentais taquine... L'école est finie, yeah !

Je tente de lui faire oublier mes incartades en lui rappelant de bonnes nouvelles. Sa mine basse se transforme vite en un heureux mélange de béatitude et de ricanement. Allongées l'une près de l'autre sur nos serviettes format géant décorées de dessins de palmiers, de coquillages et de perroquets (des choses très québécoises, finalement), nous évoquons de bons souvenirs de cette année passée, déjà nostalgiques d'une époque que, pourtant, nous n'avons pas encore quitté. Je me remémore notre journée d'école buissonnière et la trahison d'un Simon dont je croyais qu'il était enfin redevenu mon ami. Emilia repense plutôt aux quelques semaines durant lesquelles elle a pu fréquenter Matt officiellement et clamer à qui voulait l'entendre qu'elle avait un amoureux et que c'était la personne la plus extraordinaire de la planète. Le fait que cette personne extraordinaire l'a laissée tomber sans raison valable ne semble pas faire partie de ses souvenirs. La gazelle l'a déjà oublié et prévoit une reconquête pas plus tard que ce soir, à la lueur d'un feu.

Lorsqu'ils rentrent du travail, les parents d'Emilia se précipitent dans la cour pour complimenter leur jeune prodige (les enfants uniques sont toujours des Mozart ou des Marie Curie ou des Stéphanie Rochette aux yeux de leurs parents). Ils ne semblent pas étonnés de ma présence ; ils paraissent même enchantés que leur petite merveille ne soit pas seule en ces temps de réjouissance.

— Tu soupes avec nous ce soir, Maude ? m'invite Évelyne.

— Oui, maman, répond Emilia à ma place, et après tu viens toujours nous reconduire à Saint-Constant près de la rivière ?

— Mais oui, mon trésor, dit la bonne mère de famille d'un ton affectueux.

Je crois toujours entrer dans un monde parallèle lorsque je vois Évelyne céder à tous les petits caprices de sa fille. Je ne crois pas que leur relation soit malsaine, au contraire ; Emilia raconte (presque) tout à sa mère et la considère comme un modèle, mais les voir interagir de la sorte me fait toujours penser qu'il y a un patron dans cette maison et que ce n'est pas celui qui devrait l'être. Le père est tout aussi soumis que peut l'être Évelyne. Sa fille, c'est ce qu'il y a de plus précieux et il serait prêt à tout pour la combler. Il serait, très certainement, allé cogner à la porte de Matt pour lui faire comprendre l'erreur qu'il venait de faire s'il avait été mis au courant de la situation, mais, dans les circonstances, « il était préférable de le tenir à l'écart », m'a avoué Emilia quelques jours après sa rupture.

— On mange dans une heure, les filles, nous annonce Rodrigo depuis la terrasse.

Emilia acquiesce et s'étend de nouveau sur sa serviette en attendant que son valet lui crie que le repas est servi. C'est ce que fait le laquais à 17 h 30 de derrière son immense barbecue. Nous nous précipitons donc, tels deux êtres faméliques, à la table pour qu'on nous distribue notre pitance. Les énormes hamburgers du père d'Emilia semblent délicieux. J'apprécie grandement le fait de manger de la viande sur le barbecue lorsque je suis invitée chez des gens. En effet, avec cinq filles à la maison qui ont toutes plus ou moins peur d'allumer l'engin, j'ai rarement la chance de m'offrir un tel luxe. Nous en avons bien un dans la cour arrière, l'un de ces appareils servant à cuire la viande, mais ma mère préfère encore réchauffer la maison pendant une canicule que d'approcher une flamme d'une source de gaz.

Je remercie mes hôtes de me recevoir et entame mon repas avec appétit. Les boulettes n'ont pas le goût habituel de la viande de bœuf. Rodrigo m'explique avec une certaine fierté que ce sont des épices secrètes qui donnent toute leur saveur aux burgers. Je le félicite et précise que s'il a un jour envie de donner des cours de cuisine à ma mère, ma famille s'en portera mieux. Je raconte alors quelques-unes des bourdes gastronomiques de ma tendre maman : quand elle a mélangé poudre à pâte et bicarbonate de sodium et que son pouding chômeur avait un goût de plastique brûlé, ou encore quand elle a tenté de faire des carrés aux dattes pour Noël et que toute la famille a dû se casser les dents sur ses galettes aux dattes et à la cassonade.

— Tu exagères, me dit enfin Évelyne, tentant de protéger ma pauvre mère qui n'est pas là pour se défendre.

— Être une mauvaise cuisinière ne lui enlève rien, mais Sylvie n'est pas née avec un rouleau à pâte dans les mains, ça, je vous l'assure.

Emilia rit à gorge déployée, puisqu'elle a fait l'expérience, elle aussi, des talents culinaires limités de ma génitrice. Elle a eu droit à la béchamel au goût âcre, et était présente la fois où Sylvie s'était mise dans la tête de faire son propre pesto. J'avais beau lui répéter qu'un pot de pesto coûte moins de cinq dollars à l'épicerie et que, par conséquent, il ne valait pas la peine de mettre plusieurs heures à en préparer, elle s'entêtait à le faire elle-même. Et nous en avons toutes payé le prix. Je ne sais même pas à quelle étape la recette a foiré — parce que ma mère suivait les instructions de l'une de mes tantes qui, elle, fait un excellent pesto maison — , mais je peux vous assurer — avec Emilia pour témoin — que c'était l'une des choses les plus dégoûtantes que j'ai eu l'occasion de manger dans ma vie.

— On ne savait pas trop comment lui dire, ajoute Emilia, en proie à un énorme fou rire, mais, effectivement, c'était tout simplement immangeable.

Évelyne nous confie qu'avant de rencontrer Rodrigo, elle était, elle aussi, une cuisinière épouvantable. Les pires catastrophes avaient lieu lorsqu'elle passait derrière le comptoir de la cuisine, mais avec le temps elle s'est améliorée et se débrouille maintenant assez bien aux fourneaux.

Dès que nous avons fini de manger, Emilia m'entraîne au sous-sol pour que nous nous « préparions » pour notre escapade en forêt. Étrangement (et, en même temps, pas si étrangement que ça), elle fait tout ce qui n'est pas recommandé de faire lorsque nous prévoyons une virée dans les bois : elle met du parfum, se juche sur des talons hauts (en m'assurant qu'ils ne sont « pas si hauts que ça »), enfile une jupe courte, une camisole à bretelles spaghetti, se maquille, se couvre de crème hydratante, dont elle justifie l'usage en évoquant la sécheresse extrême de sa peau (vous savez, les malheurs terribles de l'existence...).

— Et toi, tu restes habillée comme ça ? demande-t-elle en me dévisageant comme si je n'étais vêtue que d'un sac de tulle.

— J'apporte un chandail au cas où ce serait plus froid ce soir, mais, oui, je pensais qu'on allait dans le bois, pas sur un tapis rouge.

Trop excitée par sa prochaine rencontre avec Matt, Emilia n'entend pas mon commentaire ou, du moins, décide de l'ignorer. Lorsqu'elle décrète que ses préparatifs sont terminés et que le tableau est achevé, ma meilleure amie se heurte aux remarques de son paternel.

— Emilia ! *Eres ridícula !*

La joie de vivre qui dominait ma compagne disparaît immédiatement de son visage candide, au profit d'une hargne manifeste. Sa mère prend la parole pour minimiser l'impact de la franchise de Rodrigo :

— Emilia, tu es magnifique, mais tu t'en vas au fond des bois, ne crois-tu pas que tu devrais être habillée davantage comme Maude ?

Je déteste quand les gens font ça. Pourquoi m'a-t-on incluse si promptement et sans mon accord dans cette discussion ? Je suis maintenant considérée comme une rivale par ma meilleure amie, qui retourne vers ses appartements en me lançant un regard meurtrier. Je ne sais plus où me mettre. Je dois la suivre ou rester plantée là comme une herbe folle en attendant qu'elle ou l'un de ses parents me dicte la bonne chose à faire ? Je décide d'attendre un peu qu'elle se calme avant de me lancer dans la cage d'une gazelle enragée (vous croyez qu'une gazelle furieuse n'est pas effrayante, vous ne connaissez pas Emilia Ortega).

— Tu ne trouves pas qu'elle était ridicule avec ses talons hauts et ses vêtements de soirée? me demande Rodrigo, particulièrement agacé par l'insouciance de sa fille.

Je reste muette, ne sachant quoi répondre, jusqu'à ce qu'Évelyne me sauve la peau en demandant à son mari de cesser de me harceler. J'entends alors un cri provenant du sous-sol ; Emilia semble vouloir que je vienne la rejoindre. Je m'excuse auprès de ses parents et cours vers l'escalier avant que ceux-ci ne me demandent de raisonner leur fille qui leur glisse entre les doigts (dommage, pas mon problème). Un ouragan semble avoir pris d'assaut la chambre de l'héritière. Les tiroirs de sa commode sont tous ouverts et la chasseuse de trésor paraît prospecter pour la tenue qui conviendrait davantage à l'activité.

— Reste pas là, aide-moi, dit alors mon amie, à peine visible sous les tonnes de vêtements qui se sont accumulés autour d'elle.

Je fais un tri sommaire des fringues qui pourraient convenir à une sortie en forêt, les dépose sur son lit et les lui propose une à une.

— C'est plate comme vêtements, commente une Emilia visiblement découragée et beaucoup moins bouillante que tout à l'heure.

— Mais c'est plate aussi, la forêt ! lui lancé-je en m'assoyant près d'elle sur son lit.

— J'aurais aimé être stupéfiante, pour qu'il me remarque, ajoute-t-elle plaintivement.

— Je sais, mais c'est peut-être préférable que tu n'aies pas l'air d'arriver d'un grand bal.

Emilia pousse un long soupir, attrape un ensemble que j'avais préalablement sélectionné pour elle, les espadrilles assorties (il faut quand même qu'elle reste coquette dans sa tenue de femme des bois) et se dirige vers sa salle de bain pour modifier son style. Même si elle ne le croit pas, elle est encore plus belle avec une paire de jeans, des souliers de sport, une chemise carreautée et une queue de cheval qu'avec ses vêtements de jeune bourgeoise new-yorkaise branchée.

— Bon, on y va ! dit-elle en attrapant une veste qui s'est retrouvée sur le sol dans la tornade.

Je la suis sans rouspéter, ne voulant pas ajouter à son irritation. Lorsqu'elle se présente devant lui pour la deuxième fois, son père se montre, d'emblée, beaucoup plus réceptif (peut-être a-t-il eu droit à une version abrégée du cours « Il ne faut pas dénigrer notre fille si on ne veut pas qu'elle devienne une droguée et/ou une prostituée » pendant notre absence).

— *Mucho mejor!* déclare-t-il en souriant à sa jeune top-modèle, avec beaucoup trop d'émotion.

Une fois qu'il a repris ses esprits, il nous reconduit jusqu'à l'endroit où nous devons rejoindre Matt et sa bande.

Rodrigo nous dépose à l'orée du boisé en nous rappelant les consignes de base : pas de sexe, pas de drogue, pas d'alcool et on ne monte pas en voiture avec des étrangers qui nous offrent des bonbons. Emilia sourit, s'étire pour embrasser son père sur la tempe de son siège à l'arrière et sort de la voiture, soulevée par une nouvelle poussée d'adrénaline. Pour ma part, lorsque Rodrigo nous indique qu'il reviendra nous chercher au même endroit à 23 h, je regarde ma montre et calcule combien de temps précisément je devrai m'exposer à ce cirque. Plus nous avançons sur le sentier, plus s'amplifient les cris et les rires des adolescents qui campent non loin, pour célébrer la fin de l'année scolaire.

L'endroit où les gens se sont rassemblés est assez spectaculaire. Il s'agit, en fait, d'une plage au milieu de la forêt. Une rivière coule à quelques lieues de l'endroit où est allumé un feu aux proportions désarmantes. En nous approchant, nous comprenons pourquoi les flammes grimpent aussi haut: plusieurs vacanciers crédules y jettent des tonnes de feuilles de papier, en tapant des mains pour saluer leurs exploits. À en croire ceux qui se contentent de les regarder, il s'agit de leurs notes de cours de la dernière année scolaire (j'espère pour eux qu'ils n'auront pas échoué à leurs examens, sinon ils regretteront amèrement ce geste... mais je suis probablement trop rationnelle. La raison n'a pas sa place en ces temps de réjouissance étudiants).

Emilia entrevoit Matt à travers la nuée de jouvenceaux fébriles.

— Est-ce que je devrais aller lui parler, tu crois? me demande-t-elle en l'observant discrètement.

Je lui réponds par un mouvement d'épaules qui signifie «je ne sais pas et je m'en fous». Mon amie comprend le message et n'insiste pas davantage pour obtenir mon opinion et mon soutien. Une ombre, accompagnée par un cri hystérique, se dirige soudain vers nous. Sandrine, un sac de guimauves géantes dans les mains, apparaît alors dans notre champ de vision. Toutes deux réconfortées de voir un visage familier parmi cette myriade d'inconnus, nous lui sautons au cou.

— Qu'est-ce que tu fais ici? lui demandé-je d'emblée.

— Je suis venue avec des amis d'enfance, on vient ici tous les ans depuis le début du secondaire, c'est une tradition.

Sandrine nous présente à ses amis, qui semblent nous accorder, déjà, très peu d'importance. Ils se retournent à peine pour nous regarder lorsque notre amie commune énonce nos noms. Il y a une Michèle ou une Marie-Michèle, un Lucas et une Paméla, je crois. De toute façon, avec l'accueil qu'ils viennent de nous réserver, je ne me fatiguerai pas à retenir leurs noms. Lorsque Sandrine achève les présentations, les trois antipathiques se contentent de grommeler quelques salutations forcées. L'une des filles du groupe nous tend la main, mais est vite invitée par ses camarades à cesser ses flagorneries. Les trois hostiles adolescents reviennent ensuite à leur discussion préliminaire comme si nous n'étions qu'un mauvais pressentiment ou un mauvais rêve.

— Ne vous en faites pas, précise Sandrine lorsqu'elle réalise qu'ils nous font la gueule, ils n'aiment pas beaucoup que de nouvelles personnes s'approprient notre spot.

Il ne m'en faudrait pas davantage pour décider de partir et de laisser le spot aux asociaux, mais, à mon grand désarroi, ça ne semble pas être suffisant pour Emilia qui observe encore Matt du coin de l'œil, priant secrètement pour qu'il se rende compte de sa présence et vienne lui parler.

— Veux-tu que j'aille lui dire discrètement que tu es arrivée ? demande Sandrine qui a remarqué son manège.

— Non, non ! répond Emilia. Je ne veux pas qu'il croie que je suis accrochée.

Elle l'est, évidemment.

— Mais je crois qu'il fréquente une fille ces temps-ci, lui balance alors une Sandrine très peu diplomate.

Ma meilleure amie parvient à faire semblant que la nouvelle ne la dérange pas pendant environ vingt secondes, avant que la panique et la colère ne la submergent totalement. Elle bombarde alors notre camarade de questions sur l'identité de cette mystérieuse inconnue qui tenterait de lui voler son homme. Il s'agirait, selon notre source (d'une fiabilité contestable), d'une étudiante de cinquième secondaire qui fait partie d'un *band*. La terreur apparaît dans les yeux de la Latina. Comment rivaliser avec une musicienne de dix-sept ans ? Emilia s'effondre alors sur le sol, prend sa tête entre ses mains et s'exclame :

— Je suis finie !

Ben oui, rien de moins…

Lorsque la tragédienne a terminé de déverser son affliction, on entend une voix féminine près du feu entonner une ballade. Sandrine me chuchote à l'oreille que c'est la jeune artiste en question. Je lui fais signe de ne pas le mentionner immédiatement à Emilia qui vient à peine de cesser ses gémissements. Quand je me retourne pour voir le visage de la rivale de ma meilleure amie, je vois apparaître Matt ; il se dirige vers nous.

Je ne sais plus quoi faire : lui demander de partir ? avertir Emilia, maintenant assise dans la boue, de son arrivée imminente ? Dans le doute, s'abstenir. Je décide donc de ne rien faire et de sourire bêtement (une solution que j'emploie fréquemment et qui a su prouver son efficacité dans diverses situations).

— Salut, Matt, dis-je quand il n'est qu'à un mètre, pour alerter Emilia et son derrière terreux de la présence de son ex-amoureux.

Ce dernier me fait la bise et en profite pour me glisser à l'oreille :

— Simon s'en vient avec sa blonde, je voulais juste que tu le saches.

Je savais que venir à cette soirée n'était pas une bonne idée. Quelqu'un peut me rappeler ce que je fais ici déjà ? Ah oui, Emilia ! L'amitié est une denrée rare, j'espère qu'elle le réalise parce qu'il me faut énormément de force psychologique en ce moment pour ne pas m'enfuir en courant.

L'éplorée se relève promptement, laissant à peine paraître son malaise, et salue sa flamme avec un détachement presque insultant pour celle qui la console.

— Je suis content que vous soyez venues, nous dit-il en nous regardant l'une après l'autre.

Le silence qui suit provoque chez lui une gêne perceptible. Et cette fois, il n'est pas question que je trouve un sujet pour ramener la conversation dans le droit chemin, comme je l'ai fait si souvent dans le passé. Débrouille-toi !

— Aimez-vous l'endroit ? dit-il finalement.

— Oui, c'est vraiment magnifique, s'empresse de répondre Emilia, qui apprécie visiblement cet échange avec l'homme de ses rêves.

— L'été, nous venons sauter dans la rivière à partir du monticule là-bas, ajoute Matt en nous montrant du doigt une colline, à mes yeux beaucoup trop haute pour que me vienne l'idée d'en faire un tremplin.

De toute façon, plonger dans un cours d'eau hérissé de rochers et parcouru de forts courants n'est pas le genre d'activité qui m'allume. Au contraire de bien des adolescents qui veulent bêtement prouver leur virilité ou leur courage, je tiens à la vie.

— Vous viendrez nous rejoindre près du feu, plusieurs vont chanter, dit Matt avant de partir rejoindre le groupe d'inconnus et la jeune rivale d'Emilia, qui ne nous lâche pas du regard depuis que son copain a quitté son bras pour s'approcher d'une belle blonde au sourire ravageur.

Ma meilleure amie regarde s'éloigner son homme avec une évidente amertume. Je sais qu'elle voudrait crier, qu'elle voudrait lui sauter au cou en le suppliant de ne plus jamais la quitter, mais elle ne le fera pas, parce qu'elle sait, au plus profond d'elle-même, que ce n'est pas la bonne chose à faire. J'ignore quel est mon rôle dans cette situation : l'honnêteté, ou les salades que l'on raconte pour préserver nos frères de l'ignoble vérité ? J'opte pour la laitue, et l'écoute sans la blâmer tandis qu'elle louange la chaleur de sa voix ou la justesse de ses goûts vestimentaires. Les yeux d'Emilia s'écarquillent soudain lorsque son regard se pose sur quelque chose au loin. Je comprends qu'il s'agit de Simon et de sa putain (désolé, peut-être trop fort comme qualificatif, mais il venait du coeur), qui prennent part à la fête derrière mon dos. Je tente aussitôt de rassurer Emilia qui ne semble pas savoir comment réagir à l'arrivée de cette incarnation de mon Black Monday.

— Matt m'avait prévenue, ne t'inquiète pas, lui soufflé-je sans me retourner pour ne pas avoir à constater la beauté stupéfiante de ma rivale.

— Elle a des talons hauts et du maquillage en pleine forêt, à quoi elle a pensé ? renaude Emilia avec beaucoup d'autodérision.

Ma complice parvient à me faire sourire. Après quelques grandes respirations, je reprends contenance et nous nous approchons du feu pour ensuite nous installer confortablement sur une souche (aussi confortablement qu'on puisse l'être sur un morceau de bois, à quelques mètres d'un feu ardent), côte à côte. Simon rejoint Matt, et leurs copines respectives se lancent dans une causette enthousiasmante. Il ne serait pas étonnant qu'elles discutent des deux frustrées, assises sur leur billot, qui mâchouillent le cordon de leur veste en les dévisageant d'un air mauvais. Peut-on vraiment leur en vouloir ? Nous avons probablement l'air de deux psychopathes dangereuses avec nos capuchons sur la tête et nos visages sévères.

La nouvelle dulcinée de Matt, qu'il présente à ses amis comme sa muse — appelons-la donc « la Musaraigne » (juste parce que ça commence de la même façon et que ça fait du bien à Emilia de la comparer à un rat insectivore) — , se met à chanter *Hotel California*, pendant qu'il l'accompagne à la guitare. Sa voix est tellement juste que c'en est agaçant. Le refrain mélancolique plonge la foule (à partir de combien de personnes peut-on parler de foule ?) dans un état de transe impressionnant. Les accords rebondissent sur les troncs des arbres et s'échappent par la cime avec élégance. C'est lorsqu'elle entame sa deuxième ballade — *Wish You Were Here* de Pink Floyd — que le Roi de la jungle daigne venir nous saluer.

— Salut, Maude, susurre-t-il en se penchant vers moi pour me faire la bise.

— Bonjour, Simon, lancé-je froidement.

Nous nous engageons alors dans un dialogue coincé fait de « ça va ? », « oui, toi ? », « quoi de neuf ? », « rien » et autres insignifiances du genre. Emilia, à ma droite, manifestement très soucieuse de mon bien-être et plus rancunière que moi pour des bagatelles de ma propre vie, ne lui adresse pas directement la parole. Elle lui répond, courtoise (elle a tout de même de la classe), mais ne le regarde jamais dans les yeux. Elle contemple plutôt ses pieds — regrettant sûrement du même coup ses talons hauts — ou le feu qui s'emballe devant elle. Des tisons dansent autour de notre interlocuteur, debout devant nous, lui donnant l'apparence d'un démon ou d'un être satanique. Après avoir constaté que nous ne sommes ni volubiles ni accueillantes, il décide de rejoindre sa copine, qui essaie tant bien que mal de s'asseoir sur une bûche sans trop salir son jeans blanc. Les étudiants ne cessent de jeter dans le feu notes de cours et autres morceaux de papier qui font gonfler les flammes jusqu'à des proportions étonnantes. Nous reculons tous de quelques pas lorsque la chaleur du brasier devient insupportable et que notre respiration en est affectée. La Musaraigne s'éloigne légèrement plus que les autres, précisant que la fumée affecte sa voix.

— Elle pourrait bien s'étouffer, ça me ferait un problème de moins, marmonne pour elle-même une Emilia à l'humeur machiavélique.

La chanteuse enchaîne quelques classiques québécois des feux de camp ; *L'escalier* de Paul Piché, *On jase de toi* de Noir Silence, *I Lost my Baby* de Jean Leloup. C'est au moment où elle entame *Julie* des Colocs que l'on voit poindre par-delà les épicéas et les mélèzes des gyrophares rouges et bleus et que l'on entend les échos d'une sirène. La Musaraigne se tait immédiatement. Certains fuient dans la forêt pour éviter de faire face aux forces de l'ordre, alors que la plupart demeurent pantois devant l'incendie — pour le moment contrôlé — qu'ils ont récemment et innocemment allumé. Deux policiers émergent finalement des conifères avec une lampe de poche dont ils projettent le faisceau tour à tour sur nos visages.

— Bonjour, les jeunes ! s'exclame le premier officier, âgé d'à peine dix ans de plus que nous.

Un grand nombre d'adolescents bredouillent un bonsoir gêné alors que quelques-uns — qui seront sans doute dans quelques années de ceux qui fréquentent souvent les postes de police — saluent les agents de la paix avec une condescendance dérangeante, même pour moi qui ne porte pas d'uniforme et qui n'ai pas de fusil.

— Saviez-vous que c'est interdit d'allumer des feux dans cette partie de la forêt ? continue le second policier, moustachu.

Encore une fois, quelques « non » timides s'élèvent de la foule alors que les trois ou quatre futurs criminels hasardent des « pourquoi ? ». La réponse est tellement évidente, quand on regarde le feu, que les policiers ne daignent pas répondre.

— On vous demanderait de quitter les lieux, s'il vous plaît, annonce le plus jeune.

Pendant qu'Emilia et moi sommes déjà résignées et prêtes à décamper sous les recommandations polies des agents de police, les révoltés s'insurgent et s'engagent dans un débat vindicatif qui se terminera fort probablement par des menottes, une visite au poste et des parents découragés.

Mon amie et moi nous éloignons pour retrouver le désert de la rue. Dans le sentier, une voiture nous dépasse. Au volant, un inconnu, un garçon de belle apparence d'environ dix-huit ans nous accoste et nous demande si nous voulons un *lift* jusque chez nous. Emilia, dans sa grande naïveté, se retourne vers moi pour me consulter. Mon visage fermé et mes signes de tête ont tôt fait de lui faire connaître mon opinion. Ses petits yeux ronds à la Chat potté de *Shrek* ne me feront pas changer d'avis. En voyant sa déception, je me dois d'expliquer (même si, logiquement, je n'aurais pas à le faire) :

— Emilia, tu as si bien respecté les trois premières règles de ton père, ne va pas tout gâcher en désobéissant à la quatrième. En plus, il ne t'offre même pas de bonbons pour entrer dans sa voiture ! Tu te fais avoir sur toute la ligne, dis-je pour lui faire comprendre de manière badine l'illogisme de la situation.

Emilia se retourne finalement vers le chauffeur, le remercie, mais précise que son père est déjà prévenu et qu'il arrivera sous peu. Le jeune homme repart donc en nous saluant. Lorsqu'il n'est plus à portée, mon amie prend son cellulaire et vérifie si nous avons du réseau à cette distance de la route.

— Pas beaucoup, mais je crois que ça va fonctionner, affirme-t-elle en regardant son téléphone.

Elle appelle son paternel pour lui demander de revenir nous chercher tout de suite, lui disant qu'elle lui expliquera pourquoi quand il sera là. Elle raccroche et m'annonce qu'il s'en vient.

Arrivées à la rue, nous nous assoyons sur le trottoir pour attendre Rodrigo. Emilia parle pendant plusieurs minutes de la laideur (c'est résolument faux) et de l'égocentrisme (jugement complètement infondé) de la nouvelle copine de son Matt. À peu près quinze minutes plus tard, la voiture de police sort des bois avec le fêtard le plus récalcitrant à l'arrière (c'était si prévisible !). Malheureusement pour nous, le père d'Emilia arrive à ce moment. Son regard, du haut de l'habitacle de son camion Lexus, ne nous laisse pas penser un quart de seconde qu'il trouvera notre anecdote de la soirée amusante.

— Bonjour, papa, chantonne Emilia en entrant dans la voiture.

— *Hola*, répond Rodrigo qui en a perdu son français.

Il reste silencieux un instant avant de nous demander ce qui s'est passé. Nous lui racontons notre soirée avec la plus grande honnêteté et, pourtant, il semble perplexe.

— Vous avez les yeux rouges, les filles, enchaîne le papa inquiet.

— Je te jure, papa ! plaide Emilia. C'est le feu, ce n'est pas la drogue.

Rodrigo semble particulièrement effrayé à l'idée que sa magnifique princesse fréquente des délinquants comme celui que la police vient d'embarquer.

— Il n'y avait aucun dealer, aucun violeur, aucun alcoolique, que des pyromanes ! lance alors Emilia pour tenter de calmer son père qui agrippe le volant, les doigts serrés.

Bel essai, mais son paternel ne laisse poindre sur son visage sévère aucune forme quelconque de sourire qui pourrait nous laisser croire qu'il rira un jour de notre aventure en forêt. Il me dépose devant ma maison en me souhaitant une bonne nuit. Emilia me prend dans ses bras et me dit à l'oreille :

— On peut au moins barrer ça sur notre liste des choses à faire dans notre vie : assister à un party qui se termine par une escorte policière.

Même si, personnellement, cette chose ne figurait pas sur ma liste, je lui souris et acquiesce. Lorsque la portière est close, j'entends ma meilleure amie hurler un « merci » de l'intérieur. En débarrant la porte de chez moi, je me dis qu'Emilia aura probablement droit ce soir à un sermon parental destiné à lui faire comprendre qu'il faut savoir choisir les gens que l'on fréquente et ne jamais laisser personne nous obliger à faire des choses que nous n'avons pas envie de faire. Le genre de discussion que les parents doivent avoir avec leur fille de six ans qui entre au primaire et avec celle de quinze ans qui flirte avec l'illégalité. J'espère seulement qu'Emilia saura les convaincre que je ne suis pas l'initiatrice de ce projet qui a mal tourné. Mais je ne suis pas inquiète : Rodrigo et Évelyne connaissent leur fille et savent pertinemment que je suis bien davantage une bonne influence qu'une mauvaise (le suis-je ?).

Chez moi, c'est le calme plat. Ma mère et Ariel sont absentes, Jasmine lit à la lueur de la veilleuse et Belle regarde un film, couchée dans son lit. Ni l'une ni l'autre ne semble inquiétée par le bruit que je fais en entrant dans la maison. Nous pourrions être cambriolées par quatre ou cinq voleurs baraqués qui videraient toutes les pièces et jamais mes sœurs n'en seraient conscientes. Même lorsque je passe devant leurs portes, elles ne bougent pas et ne disent mot, trop obnubilées par leurs divertissements respectifs.

Il est temps pour moi de me laisser tomber dans les bras de Morphée. Ça a été une longue journée remplie d'émotions contradictoires, et je crois que mon corps mérite amplement ces quelques heures de repos. La dernière image qui me vient à l'esprit, avant de plonger dans un sommeil profond, est celle de la nouvelle copine de Simon: une magnifique blonde qui ne s'investira probablement pas dans des études supérieures, mais qui est suffisamment intelligente pour séduire le plus beau garçon de l'école et entretenir avec lui des conversations assez intéressantes pour qu'il ne puisse lui reprocher son crétinisme.

Le lendemain, premier vendredi des vacances, je reste couchée jusqu'à deux heures de l'après-midi, simplement parce que j'en ai le droit. Ma mère vient, à trois heures, me sommer de l'accompagner à l'épicerie, ce que je fais, non sans quelques protestations, et je l'aide par la suite à préparer le souper pour les trois autres princesses. Pendant que je coupe des oignons, me concentrant pour ne pas laisser perler des larmes sur mes joues, ma mère me rappelle que demain je dois aller essayer des robes de demoiselle d'honneur avec Jasmine, Belle et l'égocentrique mariée. De l'eau coule alors de mes yeux, beaucoup à cause du légume blanc, un peu à cause du calvaire que je vois se profiler à l'horizon.

À l'heure du souper, c'est au tour d'Ariel de nous rappeler notre rendez-vous « très important » du samedi. Elle précise que son organisateur de mariage sera présent pour la conseiller.

— Ce sera une belle occasion pour que vous fassiez connaissance, précise Ariel. Vous allez voir, il est très…

Elle prend un moment pour choisir le mot juste.

— … excentrique, dit-elle finalement.

Jasmine et Belle paraissent aussi déstabilisées que moi. Elles redoutent sans doute tout autant cette journée où la plus insensible d'entre nous épousera Narcisse. Nous nous couchons toutes relativement tôt, sachant pertinemment que la Sirène se fera un immense plaisir de réveiller ses demoiselles d'honneur au petit matin.

J'ai plus de difficulté à m'assoupir ce soir, sûrement parce que j'ai dormi quatorze heures la nuit dernière, et aussi parce que le visage de ma rivale blondasse me revient encore en mémoire et chamboule ma paix intérieure. J'imagine qu'Emilia a le même genre de préoccupations à l'heure qu'il est, mais, la connaissant, ses tourments sont vraisemblablement plus intenses que les miens. Elle décortique sans doute la page Facebook de la Musaraigne dans l'espoir de lui trouver un défaut suffisamment punissable pour qu'elle perde de l'intérêt aux yeux de Matt et qu'il réoriente son regard amoureux vers une certaine Latino-Américaine. À suivre…

Chapitre 7

Déshonneur de demoiselles

Comme nous nous y attendions, à 7 h 30 le lendemain matin, Ariel butine d'une chambre à l'autre en chantonnant *Marry You* de Bruno Mars (I-N-S-U-P-P-O-R-T-A-B-L-E). Arrivée dans ma chambre, elle tire ma douillette et ose me dire :

— Allez, petite ! C'est ma journée aujourd'hui !

— Et c'est quoi, la différence avec tous les autres jours ? prononcé-je suffisamment fort pour que mes deux autres sœurs, l'esprit encore embrouillé, l'entendent.

— Aujourd'hui, c'est juste plus officiel, lance alors Jasmine en foudroyant Ariel du regard.

— Bon, suffit le niaisage, là ! On a rendez-vous à 9 h en ville, déclare alors la Sirène, qui apprécie rarement qu'on se moque d'elle.

Nous nous hâtons (autant que l'heure prématurée nous le permet), dénichons quelque chose de confortable à enfiler, nous brossons les dents à tour de rôle et nous entassons dans la petite voiture de la Sirène pour le premier événement officiel de cette série de préparatifs qui seront pour nous, incontestablement, horripilants. Comme si la vie s'acharnait à se payer notre tête, la chanson de Bruno Mars, diffusée à ce moment précis à la radio, résonne dans l'habitacle et encourage Ariel à monter le volume et à s'époumoner sur l'air pop de cet auteur-compositeur-interprète hawaïen. Contrairement au personnage de Disney dont son nom est inspiré, Ariel a l'une des pires voix de l'histoire de l'humanité. Elle a bien tenté d'être à la hauteur de son alter ego des mers, mais je crois qu'en vieillissant, elle devient de pire en pire. Nous serions bien reconnaissantes si une méchante pieuvre venait lui enlever sa voix. Nous espérons toutes d'ailleurs la voir sortir des profondeurs et nous barrer le chemin ce matin, alors que la Sirène beugle : « *It's a beautiful night, We're looking for something dumb to do, Hey baby, I think I wanna marry you.* »

Elle nous demande même à un moment pourquoi nous ne l'accompagnons pas.

— Nous ne sommes pas de dignes choristes, indiqué-je, assise à l'avant.

— J'espère que vous serez de dignes demoiselles d'honneur, au moins ? poursuit la future mariée, visiblement impatiente de marcher vers l'autel tandis que ses sœurs l'observeront, la larme à l'œil et — elle l'espère — mortes de jalousie.

Ariel gare sa voiture dans un stationnement souterrain et nous montons sept étages dans un ascenseur datant du 19e siècle. Je hais les ascenseurs : des cages à paresseux maintenues par des fils qui grincent au contact de poulies rouillées et dans lesquelles les occupants n'ont que très peu de chances de survivre si le tout s'effondre. Je regarde les chiffres s'allumer les uns après les autres et lorsque le sept s'illumine enfin, je pousse tout le monde et m'élance dans le couloir pour avaler une bonne bouffée d'air conditionné et poser mes pieds sur un sol plus fiable. Je heurte, dans l'énervement (j'aurais dû prendre l'escalier), un homme grand, à l'allure très stylée, un café à la main, qui arbore avec classe l'oreillette Bluetooth et la sacoche. Une fois toutes les demoiselles d'honneur sorties de la boîte de plomb, Ariel nous présente Léo, son organisateur de mariage.

— Bonjour, les filles !

Il est habillé de la tête aux pieds de Prada ou Versace (je dis n'importe quoi... c'est peut-être Dolce & Gabbana ou même la marque maison de Walmart, je n'ai aucune culture *designeristique*). Il a des dents si blanches qu'elles nous éblouissent, des gestes extravagants, des cheveux teints bien peignés et appelle Ariel « ma petite chérie » en lui donnant trois becs sur les joues, comme le font les Européens. Il est sans aucun doute un « personnage ».

— Suivez-moi, les beautés, lance alors notre guide qui nous ouvre la marche de son pas invitant.

Le couloir dans lequel nous nous trouvons ressemble à celui d'un édifice à appartements luxueux de Manhattan. La plupart des portes affichent un numéro civique. Nous sommes donc probablement dans un immeuble à condos (décidément, je devrais devenir détectrice privée). Je trouve très étrange qu'une boutique se soit installée dans ce genre de bâtiment, au septième étage qui plus est.

Lorsque nous arrivons à destination, Léo, presque aussi excité qu'Ariel, ouvre la double porte en déclarant, d'une voix qui se veut énigmatique (mais qui a davantage l'air d'un orgasme de la Schtroumpfette, aigu, portant, intense) :

— Bienvenue au paradis.

Je crains qu'Ariel ne s'évanouisse lorsqu'elle voit l'immense *walk-in* qui s'étend sous ses yeux. L'endroit, d'une blancheur immaculée, a vraiment été conçu pour représenter une gigantesque penderie. Des divans de cuir blanc sont installés au centre de la pièce, et des robes bouffantes de toutes les couleurs (en quantité démesurée) sont suspendues à des cintres, sur deux murs. Sur celui du fond se trouve une panoplie de souliers — à talons hauts pour la plupart — sertis de brillants, ou recouverts de dentelles, ou transparents comme les chaussons de verre de Cendrillon.

Jasmine et Belle, atteintes au cœur même de leur fibre féminine, explorent déjà la boutique dans un état de transe, comme guidées par leurs œstrogènes. Une femme dans la cinquantaine, si botoxée qu'elle peut à peine sourire normalement, entre par la porte principale avec un plateau sur lequel sont posés cinq verres de champagne. Elle en offre un à chacun d'entre nous. Au contraire de mes sœurs qui se lancent sur le cabaret, en bonne mineure que je suis, je refuse l'alléchante proposition en précisant que je n'ai pas encore l'âge légal de boire. Mes traits enfantins ne mentent pas, pourtant. Peut-être que le collagène qu'elle s'est fait injecter sous les yeux a fini par troubler sa vision. L'hôtesse — qui se présente comme la propriétaire et principale styliste de cet établissement haut de gamme — me dit qu'elle a du mousseux sans alcool au frigo et qu'elle m'en apportera un verre tout à l'heure. Je la remercie et pars explorer la spacieuse penderie à mon tour.

Alors que j'examine les robes très échancrées sans voir comment je parviendrai à remplir ces bustiers, Léo s'approche de moi et me demande ce que j'aimerais porter le jour J.

— Si je pouvais y aller en joggings, ce serait l'idéal, blagué-je en répertoriant les défauts de chacune des robes suspendues au mur.

— Ariel m'a dit que tu étais la plus récalcitrante à porter ce genre de robe, confesse Léo qui tente visiblement de briser ma carapace et de faire de moi son amie.

— Assez perspicace, ma sœur, lui réponds-je.

— Mais si on exclut les joggings de l'équation — parce que même si c'est très drôle, je ne crois pas que ta sœur accepterait cette option —, quel type de robe te plaît le plus ?

Je lâche un long soupir et observe les centaines de robes qui nous entourent pour tenter de trouver un genre qui me conviendrait.

— Je fais un tour de boutique et te reviens avec les moins pires, dis-je au coloré Léo.

Il y en a vraiment de tous les styles : des longues, des courtes, des pailletées, des asymétriques à volants superposés, certaines en filet et jacquard, d'autres à basques, à corsage, en satin façon cache-cœur ou en chiffon emperlé, en mousseline ou en taffetas, avec ou sans ceinture, vintage ou moderne, en organza, en tricot, en jersey, en tissu lamé, en mélange d'angora (je vous rassure immédiatement : je ne connais pas tous ces détails, je lis les étiquettes), plissées en tricot point de Rome, à manche unique, et j'en passe. Je vais au moins avoir appris cela aujourd'hui : il existe assurément beaucoup trop de mots pour décrire un vêtement que l'on ne porte qu'une fois par année, et même, dans certains cas comme celui-ci, qu'une fois dans sa vie. « Longue » et « courte » auraient été des adjectifs suffisamment sophistiqués pour moi. La designer aux traits figés m'apporte finalement ma boisson pétillante à saveur de pêche. Je bois l'élixir presque en une seule gorgée comme si les bulles, même sans alcool, pouvaient m'aider à traverser cette épreuve difficile.

Après que nous avons toutes les quatre fouillé le magasin de fond en comble, Ariel, polissonne, nous annonce qu'il est maintenant temps d'essayer les tenues qu'elle a sélectionnées pour nous. Il fallait s'y attendre. Nous avons été naïves de même penser que la Sirène allait nous laisser choisir nos robes. La propriétaire nous indique l'emplacement des deux spacieuses salles d'essayage fermées de lourds rideaux noirs, derrière les étagères de chaussures. Comme Ariel tient à ce que nous essayions les robes ensemble et que nous ayons la surprise en même temps qu'elle (donc, pas deux filles dans la même cabine), la dame botoxée installe un abri de fortune composé d'un drap suspendu à une poutre au plafond. Évidemment, il n'y a même pas, là non plus, de questions à se poser : c'est la benjamine qui hérite de la cache, pendant que les aînées profitent du luxe des loges.

La première tenue, que j'essaie d'enfiler sans faire tomber le drap ni décrocher la poutre, est une robe longue de couleur rose dont l'étiquette indique qu'elle est faite de « satin extensible ». L'étiquette et moi n'avons vraiment pas la même définition du terme « extensible ». Je me contorsionne pour tenter d'entrer dans le vêtement sans le déchirer. C'est seulement lorsqu'il ne reste que quelques centimètres de mon corps pourtant mince à faire passer que je découvre la fermeture éclair latérale. Je décide de passer sous silence mon inexpérience flagrante en matière de robes de soirée et continue mon plongeon dans le tissu satiné. Comme il n'y a pas de miroir dans ma tente, il m'est impossible de constater l'ampleur des dégâts pour le moment.

Nous devons attendre le consentement d'Ariel pour sortir de nos cachettes respectives. La Sirène s'emballe finalement et lance un «*go!*» hystérique. Ses trois sœurs (excessivement compréhensives) lui présentent sa première option. Personnellement, je trouve que nous avons toutes les trois l'air de bonbons roses à la menthe collés au fond d'un bol dans le salon d'un vieux couple de grands-parents. Nous sommes hideuses, si hideuses que lorsque nous nous voyons, l'une à côté de l'autre, dans le miroir, nous nous mettons systématiquement à rire et à supplier notre frangine de ne pas nous faire ce coup-là.

Même si je m'attendais à qu'elle simule une affection particulière pour ce modèle afin d'être certaine d'être la plus belle le jour J, elle s'amuse elle aussi de notre allure stupide et rejette ce choix.

Nous enfilons ensuite une robe verte à bustier dont l'ourlet est plus long à l'arrière qu'à l'avant. Le devant de la robe devrait tomber à la hauteur du genou, mais, à cause de ma petite taille, j'ai l'air dans cette tenue d'une enfant portant une tunique appartenant à sa mère (je n'ai pas besoin de miroir cette fois pour voir que ça ne va pas). Avec les souliers à talons hauts un peu trop grands, on tombe dans le burlesque. Dès que je pointe le bout de mon nez hors de ma tanière, Ariel constate aussi qu'il faudra passer au modèle suivant et fait signe aux autres d'oublier celui-ci. Jasmine semble un brin déçue, mais retourne dans sa cabine pendant que je passe derrière mon rideau.

Troisième possibilité : une petite robe noire courte de style cocktail à volants superposés (je suis devenue une pro, je n'ai même plus besoin de consulter l'étiquette). En la regardant, je sais qu'elle sera ma préférée. Très simple, mais efficace. J'ai même l'impression d'avoir des seins dans ce bustier en cœur. La réaction est assez unanime du côté de Jasmine et de Belle : la robe tombe bien sur nous toutes sans nous donner l'air de bonbons ou de poches de patates.

Toutefois, la principale intéressée est sceptique en ce qui concerne la couleur. Elle demande à la dame si ces robes se font en rouge ou en bleu, mais le délai est trop court, selon la siliconée ; elle ne pourra pas livrer trois robes en un peu plus d'un mois avec le nombre de créations qu'elle doit confectionner pour les autres mariages inscrits dans son agenda.

Ariel — qui a tout de même fait des efforts pour nous plaire — nous demande d'essayer la dernière. Il s'agit d'une robe courte vermeille à une bretelle ornée d'imposantes fleurs, cintrée et légèrement ouverte au bas du côté droit. J'ai l'impression d'être un bouquet de douze roses que l'on offre à la Saint-Valentin. C'est aussi l'image qui me vient à l'esprit en voyant mes deux sœurs sortir de leurs cabines.

— C'est ça, c'est exactement ça ! s'exclame Ariel qui (malheureusement) semble charmée par les trois gerbes de fleurs qui se tiennent devant elle. Quoi ? Vous ne l'aimez pas ? demande ensuite la Sirène en voyant nos têtes.

— C'est pas mal, tente de se convaincre Jasmine en scrutant son reflet dans la glace.

Comme je sais que donner mon opinion ne sera d'aucune utilité et ne fera que mettre Ariel en colère, je décide de garder le silence et de m'avouer vaincue. Belle semble adopter la même tactique en retournant dans sa cabine, sans un mot, pour enlever son déguisement de fleurs.

— Tu ne trouves pas qu'elles sont magnifiques ? dit Ariel, sollicitant ainsi l'avis de son organisateur de mariage.

— De vraies beautés, répond Léo qui sirote son troisième verre de champagne.

La designer nous demande de ne pas retirer nos robes immédiatement, car elle va prendre nos mesures pour les ajuster à nos formes et les rendre parfaites pour nous. Quelle joie ! Elle plante des aiguilles à six ou sept endroits, puis m'autorise enfin à enlever ma robe en me recommandant de faire bien attention à ne pas me piquer.

La satisfaction de retrouver mes jeans est indescriptible. Je ne suis clairement pas faite pour les soirées de gala et les grands bals... Tout endroit ou événement où je ne peux porter des jeans ou des joggings n'est pas pour moi. Je devrai pourtant passer outre mes préférences et jouer à la bourgeoise aux bonnes manières lorsque la Sirène épousera Maxime, dans un peu plus d'un mois.

Quand nous avons toutes retrouvé nos habits familiers, Ariel nous annonce d'un ton solennel qu'il est maintenant temps pour nous de découvrir sa robe. La robe de mariée, c'est un culte, un peu comme la robe de bal des finissants de cinquième secondaire. Les femmes qui la portent — qu'elles soient ou non superficielles comme Ariel — doivent absolument ressembler à des princesses. Même si je ne suis pas une grande fanatique du fla-fla qui entoure ce genre de célébration, je comprends le principe. La beauté, l'apparence sont un aspect important de l'être humain ; on s'habille, on se coiffe, on se maquille pour se différencier de nos semblables et il est normal, je crois, que l'on désire, dans certains moments importants d'une vie, que les regards soient tournés vers nous. Le problème, c'est que, pour Ariel, ces moments reviennent à une fréquence qui tourne dangereusement autour des trois cents soixante-cinq fois par année. Tous les quatre ans, nous avons donc un répit de vingt-quatre heures (c'est triste, pourtant ce n'est pas très loin de la vérité). Vous vous imaginez donc aisément que, le jour de son mariage, elle se doit d'être la plus belle, celle qui fait tourner les têtes et les cœurs. Je suis persuadée que sa robe de mariée ne sera rien de moins qu'extravagante, séduisant et imposante.

Ariel passe au moins dix minutes dans la salle d'essayage avec la styliste. Nous sommes impatientes de voir la princesse ouvrir le rideau et nous dévoiler ses atours. Avant de sortir, comme pour augmenter le suspense et l'émotion, elle nous crie de sa cabine :

— Êtes-vous prêtes ?

Jasmine et Belle, qui se tiennent les mains l'une l'autre comme pour contenir leur fébrilité, hurlent un « oui » presque hystérique. Je suis, personnellement, un peu dépassée par l'émotivité excessive qui s'exprime sous mes yeux. La couturière écarte finalement l'étoffe de velours noir et nous laisse entrevoir notre Sirène.

L'idée que je m'étais faite de la tenue d'Ariel se révèle assez précise. Il est difficile de ressembler davantage à une princesse qu'avec cette robe blanche sur le dos. Le bustier en cœur, les lignes effilées jusqu'aux hanches où une crinoline rouge, que l'on aperçoit grâce à une ouverture sur le côté gauche surmontée d'une fleur, vient gonfler le bas de la robe, et une large ceinture du même cerise lui donne une élégance inégalée.

— Il ne me restait plus qu'à choisir la couleur de vos robes de demoiselles d'honneur pour définir celle de ma crinoline et de ma ceinture, précise Ariel, juchée sur un petit banc.

Jasmine et Belle retiennent des larmes en s'extasiant sur la beauté et l'allure d'Ariel. Je ne m'attendais pas à un tel spectacle de leur part. Il est vrai qu'Ariel est magnifique, mais pas de là à en pleurer… Personnellement, ce qui m'attendrit, c'est davantage son aisance et sa sérénité que sa tenue nuptiale. J'ai l'impression de voir sur le visage de ma sœur quelque chose que je n'avais jamais vu ou remarqué auparavant : un sincère bonheur. Ariel fait toujours mine d'être supérieure à la masse, d'être sans faute et sans regret, mais, comme nous toutes, elle est fragile. Elle ne le laisse simplement jamais paraître, ou presque. Qu'elle nous permette aujourd'hui d'entrevoir sa vulnérabilité me comble plus que les artifices de ses ornements vermeils.

Jasmine court chercher un voile dans la boutique pour le poser sur la tête de la Sirène. Lorsque Ariel l'installe dans ses cheveux, les pleureuses éclatent en sanglots, comme si voir leur sœur épouser un futur professeur d'éducation physique était la plus belle chose qu'elles avaient vécue dans leur vie (si c'est le cas, je les plains).

Je suis toujours à l'écart lorsqu'elles se mettent à brailler devant tant de splendeur. Ariel, du haut de ses quatre pieds supplémentaires (à cause du petit banc), me fait signe de m'approcher. Ce n'est pas très bon pour l'estime de se tenir à côté d'une mariée. Il est impossible de rivaliser avec deux mille dollars de textile taillé sur mesure. Avec mes jeans blancs, ma camisole mauve et ma veste verte de chez Ardene, j'ai l'impression d'être une gueuse daltonienne (sous les néons, je réalise que mon choix de couleurs est douteux).

— Comment tu trouves ça ? me demande la géante. Tu ne t'es pas exprimée.

— Tu es magnifique, Ariel.

C'est la seule réponse acceptable dans la situation.

— Tu es sérieuse?

Elle sait que c'est la seule réponse acceptable dans la situation.

Dans le miroir, je regarde son reflet et confirme avec toute la sensibilité qu'elle attend de sa cadette.

— Merci, me dit-elle, encore sous le choc de se voir ainsi vêtue. On ne sait jamais ce que la vie nous réserve, poursuit-elle, songeuse, en fixant toujours son reflet dans la glace.

Elle a bien raison, parce que jamais je n'aurais cru qu'un jour je serais demoiselle d'honneur au mariage d'Ariel et de l'assistant de mon prof d'éduc. Ce n'est cependant pas, dans mon cas, une conjoncture souhaitable; c'est plutôt un cauchemar. Le genre de rêve dont on ne se réveille jamais. Ceux qui vous collent à la peau et ont raison du reste de votre existence.

Comme je commence à devenir plus sinistre et grave que je ne l'aurais souhaité, je décide de passer à une activité plus légère pour étourdir ma conscience: l'essayage de chaussures à talons hauts. Je ne croyais pas que marcher ferait partie des problèmes que j'aurai à surmonter au mariage de ma sœur, mais il semble que j'ai sous-estimé la hauteur maximale que peut atteindre un escarpin. J'ai l'air de déambuler sur un fil de fer, tellement ma démarche est oscillante et incertaine. Mes sœurs, la propriétaire du magasin et l'organisateur de mariage me regardent avec autant d'amusement que de pitié (je déteste qu'on me considère avec pitié). Je m'efforce d'améliorer mon allure, mais c'était déjà peine perdue lorsque je regardais les chaussures sur les rayons. Il s'en faut de peu pour que je me foule une cheville, que je tombe à plat ventre sur le sol ou, le plus plausible, que j'enlève les souliers et les jette au visage de la Sirène qui me force à porter ces choses scintillantes qui déforment mes orteils. Je ne comprends pas comment on peut décider de porter de tels étaux qui, en plus de massacrer nos pieds, causent des problèmes de dos souvent irréparables (je ne suis pas certaine de ce que j'affirme, mais je compte bien vérifier cette information et en flanquer la preuve sous le nez de ma sœur).

Tandis que je m'assois pour me déchausser (j'entends presque distinctement la plante de mes pieds me chanter louange), Belle et Jasmine sillonnent l'endroit avec une grâce désarmante. Elles flottent comme si elles avaient des pantoufles aux pieds. Ni la Bête ni la princesse arabe n'ont l'air d'un canard estropié sur un iceberg, comme leur jeune sœur. L'hôtesse m'offre alors une paire de souliers pour que je puisse m'exercer, dit-elle, à la maison. Je ne crois pas m'ennuyer suffisamment durant mes vacances d'été pour passer du temps à me promener dans la maison avec aux pieds des objets de torture qui me coupent la circulation sanguine, mais j'accepte tout de même le cadeau de la styliste pour éviter de faire paniquer ma sœur et de lui laisser croire que son mariage n'est pas important à mes yeux.

La propriétaire de l'imposant *walk-in* nous donne rendez-vous quelques jours avant le mariage pour l'essai final des robes qui seront alors ajustées. Nous la remercions du temps qu'elle nous a accordé — ou plutôt Léo la remercie, toujours avec grandiloquence — et nous refermons les portes de ce paradis au féminin.

Le coordonnateur nous propose ensuite d'aller casser la croûte dans un restaurant sublime à quelques rues d'ici. Il offre même de payer l'addition (je n'imagine même pas son tarif horaire, s'il peut se permettre pareille dépense). En entrant dans l'ascenseur, mes sœurs, affamées et opportunistes, s'emballent. Pour ma part, cette fois, je prends l'escalier de service — celui que l'on emprunte en se demandant s'il est réservé uniquement aux urgences ou si le simple besoin d'exercice physique ou la peur de l'ascenseur constituent des raisons suffisantes pour pousser la porte de fer coiffée de l'écriteau « Sortie ». Nous arrivons presque au même moment à la voiture.

Léo, assis sur le siège arrière de la petite bagnole entre Jasmine et Belle — qui ont maintenant un rempart les empêchant de se chamailler comme des enfants — , indique à Ariel la route à suivre. Celle-ci freine à peine aux arrêts obligatoires, accélère lorsque le feu de circulation change au jaune, roule de trente à quarante kilomètres à l'heure au-dessus de la limite permise, et ce, même si elle a maintenant la vie d'un (presque) étranger entre ses mains. Son coffre à gants est bourré de contraventions. Lorsque ma mère lui en parle, Ariel lui répond qu'elles ont été payées il y a bien longtemps, mais évidemment on reçoit à la maison, plusieurs mois plus tard, des avis de non-paiement et c'est alors ma mère, dans sa grande bonté, qui rembourse la société pour les excès de sa fille aînée.

Nous arrivons finalement à destination sains et saufs. Ariel se gare non loin du restaurant et nous pénétrons dans cet établissement à l'ambiance feutrée et au décor sophistiqué. Le genre d'endroit que nous n'avons pas l'habitude de fréquenter. Nous avons davantage l'impression d'entrer dans une réception donnée par Louis XV que dans un restaurant du centre-ville. Une musique classique-jazz-folk-lounge chatouille l'oreille. Des statues antiques, des portraits de monarques, des moulures ancestrales et de hauts plafonds cathédrale confèrent un aspect seigneurial aux lieux, au sein desquels nous constituons un anachronisme flagrant. Je ne crois pas que le Bien-Aimé (c'était le surnom de Louis XV ; j'ai l'air de rien, mais j'ai quand même de la culture) aurait apprécié notre humour débridé, nos manières parfois discourtoises et notre langage souvent vulgaire.

La serveuse, vêtue de noir de la tête aux pieds, semble être, elle aussi, peu enchantée de notre visite. Elle n'accepte dans son institution que des gens d'une certaine caste. Même si l'endroit n'est fréquenté que par des gens riches ou célèbres, ou les deux, elle nous autorise néanmoins à y prendre une table quand Léo mentionne qu'il est un ami du chef Luigi. Personnellement, j'aurais préféré rebrousser chemin et aller manger chez St-Hubert ou chez Mikes — là où les gens ne me regardent pas comme si j'étais une paumée —, mais, comme Jasmine me le rappelle d'un regard sévère, c'est la (l'une des) journée (s) d'Ariel. J'opte donc, encore une fois, pour un silence respectueux et prends place à la table que la serveuse à l'air pincé nous indique.

Aucune d'entre nous n'ose parler, de peur d'être trop bruyante et de perturber la tranquillité des lieux. Nous avons tous deux fourchettes, trois couteaux et deux cuillères. Déjà, à mon avis, il y a surenchère en couverts. Léo, voyant notre scepticisme, nous explique qu'il s'agit d'une fourchette et d'un couteau à viande et à poisson, une cuillère à soupe et à dessert ainsi que d'un couteau à fromage. L'utilité des trois verres, selon le spécialiste de la bourgeoisie contemporaine, se déclinerait comme suit : celui pour le vin rouge, celui pour le vin blanc, et le dernier pour l'eau.

La femme peu sympathique revient nous porter les menus avec un air bête, mais de belles manières. Comme il fallait s'y attendre, le menu présente des plats copieux qui donnent l'eau à la bouche : homard, pétoncles, foie gras, canard, ris de veau, cerf du Québec, pigeonneau et crabe des neiges. Malgré mon envie d'essayer un truc nouveau, je décide d'opter pour un mets sûr, de peur que ce ne soit quelque chose d'immangeable et que, ayant trop honte pour l'avouer au payeur, je sois obligée de finir mon assiette, le cœur aux lèvres et plein de regrets pour mon morceau de viande rouge qui aurait été si bon. Je choisis donc le filet mignon. Mes sœurs mettent beaucoup plus de temps que moi à se décider, scrutant le menu et remettant en doute l'offre généreuse de Léo, vu les prix exorbitants de chacune des options. Après quelques « on ne peut pas accepter ça », « c'est beaucoup trop », « ça me fait plaisir » et « arrêtez de vous en faire », les trois profiteuses sélectionnent un plat. La Sirène choisit l'agneau, et les deux autres tranchent pour la spécialité de l'endroit : le homard, mais apprêté de différentes façons. La serveuse, toujours aussi offusquée d'avoir à servir des plébéiens, note notre commande dans son petit calepin doré et retourne en cuisine, probablement pour décrire au sous-chef nos manières rustres.

— C'est quoi, son problème, à elle? s'enquiert alors Jasmine qui, dans sa grande ingénuité, ne semble pas avoir remarqué à quel point nous contrastons dans le décor raffiné du restaurant cinq étoiles.

Léo lui explique avec diplomatie que ce lieu est réservé aux nantis. Les citoyens normaux s'y font, d'habitude, refuser l'entrée. Jasmine est outrée et s'insurge contre la discrimination entre les riches, les pauvres et la classe moyenne. La princesse arabe est pourtant une femme intelligente, consciente des enjeux de société et des nombreux types de ségrégation qui y règnent, mais elle fait toujours une scène lorsqu'elle y est confrontée, comme si le fait de constater ces réalités de ses yeux la fouettait chaque fois. Ariel doit elle-même ramener notre sœur à l'ordre en lui déclarant que ses crisettes de justicière ne sont pas acceptées aujourd'hui. J'appuie le commentaire de la Sirène — qui aurait pu enflammer la rebelle plutôt que de l'apaiser — en donnant à Jasmine un coup de pied sous la table pour lui rappeler qu'une controverse familiale n'est pas nécessaire, et surtout pas dans un lieu public où nous sommes, d'emblée, pas les bienvenues. Heureusement, Jasmine parvient à calmer sa fougue et à poser un sourire jaune sur ses lèvres couvertes d'un gloss rose scintillant.

Quelque trente minutes plus tard, la serveuse renfrognée vient nous apporter nos plats. Elle flaire certainement le malaise lorsqu'elle dépose les assiettes sur la table. Le silence domine maintenant les conversations, et les convives s'observent avec méfiance, comme craignant que l'un tire le premier… Des cow-girls du Far West en duel qui se retrouvent inopinément à une table dans un chic restaurant victorien, c'est ce à quoi nous devons ressembler. Pas nécessairement un tableau enviable. Lorsqu'elle repart vers la cuisine, la serveuse paraît fière et semble crier intérieurement : « Ces roturiers, ils ne savent pas se tenir ! » Elle n'a peut-être pas tort. Les discussions chez les filles L'Espérance sont toujours tendues, et elles deviennent souvent embarrassantes lorsqu'un nouvel invité se joint au groupe ou que nous nous retrouvons dans un endroit peu familier (aujourd'hui nous avons droit à un deux pour un).

Nous formons un bel assortiment de déséquilibrés, avec Belle qui est végétarienne à ses heures (pas aujourd'hui) et qui, quand elle en a assez de manger de la viande, défend les droits des animaux avec une fièvre dissonante ; Jasmine qui se lance souvent dans des débats politiques et sociaux mouvementés servant davantage à prouver qu'elle a une conscience sociale qu'à démontrer un véritable intérêt pour la collectivité ; Ariel qui, derrière son mascara waterproof et son eye-liner Maybelline, tente de prouver son intelligence malgré sa beauté physique (c'est généralement un échec) ; et moi qui me fous de tous — ou presque — et de tout ce que les autres peuvent penser. Vraiment une splendide famille !

Léo commence à comprendre qu'il a commis une erreur en nous amenant dans ce restaurant, lorsque Belle décide qu'elle a soudain de la compassion pour le bébé mouton qu'Ariel s'apprête à manger.

— Est-ce que tu réalises que ce petit agneau a été assassiné froidement pour que tu puisses te goinfrer de sa chair cet après-midi ?

— Bon, la voilà qui repart avec ses discours de fausse végétarienne, déclare Ariel à l'intention de son organisateur de mariage, maintenant moins confiant qu'en début de journée.

Les monstres L'Espérance ont eu raison de son aplomb.

Je déguste mon bœuf avec appétit en contemplant les filles qui se chamaillent, comme à la petite école quand quelqu'un volait leur place à la balançoire. Jasmine s'en mêle en se mettant du côté d'Ariel, avançant l'excuse parfaite : la chaîne alimentaire.

— C'est comme ça que ça fonctionne, Belle : les gros mangent les petits et les plus forts finissent au sommet. Nous sommes chanceux d'être en tête, pourquoi ne pas en profiter ?

— Fais à ta tête ! Mais dans une autre vie, tu te réincarneras en fourmi et je t'écraserai avec plaisir de mon soulier de végétarienne, rétorque Belle en repoussant son assiette comme si même son homard (parce qu'elle pratique une forme de végétarisme dans laquelle les crustacés sont permis...) lui coupait l'appétit.

Comme la discussion bifurque vers la réincarnation, la vie après la mort et l'astrologie, je m'éclipse aux toilettes et les laisse se quereller entre adultes. Léo me suit, comme apeuré par le nouveau visage de mes sœurs.

— Tu fumes ? me dit-il en me tendant un paquet de cigarettes qu'il sort de sa poche arrière.

— Non, lui réponds-je aussitôt.

J'aurais bien ajouté quelque chose comme « je tiens suffisamment à la vie pour ne pas m'empoisonner volontairement avec un produit psychoactif manufacturé » ou « je préfère mes poumons en rose plutôt qu'en noir », mais je choisis de me taire, sachant qu'il a déjà suffisamment côtoyé l'aspect militant des L'Espérance pour aujourd'hui.

— Tu veux m'accompagner à l'extérieur quand même ? me propose-t-il avec le même regard qu'a dû avoir le bébé mouton en voyant le fusil du fermier s'approcher de sa tête.

Comme je ne souhaite pas avoir d'autres morts sur la conscience, autre que l'agneau dans l'assiette d'Ariel, j'accepte de sortir après mon passage aux toilettes. Quand je le rejoins à l'extérieur, il a déjà fumé la moitié de sa clope et regarde les voitures passer dans la rue avec un désenchantement inquiétant.

— Est-ce qu'elles sont toujours comme ça? me demande-t-il, l'air inquiet et presque déçu.

Encore une fois, je m'interroge: dois-je dire la vérité ou la masquer par un mensonge inoffensif?

J'opte cette fois pour la vérité.

— Oui.

— Ça doit être lourd parfois chez vous! lance-t-il en me regardant comme si je devais m'occuper de trois adultes tétraplégiques.

— Ce n'est pas si pénible que ça, répliqué-je après m'être imaginée m'occupant de trois adultes tétraplégiques. Elles sont folles, je l'admets, mais elles parviennent généralement à se tenir en société, continué-je à la blague.

Léo rigole à son tour.

— Le genre superficiel et égocentrique d'Ariel me va bien, je sais m'adapter facilement à ce type d'individus, mais la végétarienne explosive et la socialiste militante et féministe, sans parler de la désillusionnée cinglante, dit-il en me pointant, c'est un mélange trop hétéroclite pour moi.

— Et qu'est-ce que tu fais du raffiné organisateur de mariage bien plogué qui peut faire entrer quatre folles dans un restaurant chic? poursuis-je, au risque de me faire traiter d'impertinente.

— J'avoue que je suis un ajout assez cohérent dans ce tableau plein d'incohérences.

J'aime ce gars de plus en plus. Son apparence irréprochable cache certaines imperfections, une certaine arrogance qui me plaît.

— Tu ne sembles pas très à l'aise avec la perspective du mariage de ta sœur, déclare-t-il après avoir fait quelques ronds avec la fumée de sa cigarette.

— Non, effectivement, je redoute le moment où je verrai Ariel épouser ce Maxime que j'exècre.

— Ça arrive bientôt pourtant, prépare-toi.

— Coudonc, m'as-tu fait venir ici pour intensifier ma désillusion?

— Non, non, désolé, c'est seulement que ta sœur est exigeante, et j'ai tant de choses à penser que je trouve que le temps passe trop vite.

— J'espère pour toi et pour moi que les trois prochaines semaines seront plus longues que d'ordinaire pour que nous ayons le temps de prendre notre temps.

— Oui, j'espère, me dit-il lorsque la serveuse vient nous chercher pour que nous nous occupions de nos compagnes, qui hurlent maintenant à tue-tête dans le restaurant haut de gamme pour des raisons qui, de l'extérieur, sont indéfinissables.

Le chef, ami de Léo, vient finalement le voir, le prend à part et, visiblement, lui demande de sortir de son établissement les quatre folles qu'il a amenées avec lui. Nous quittons donc, tous les cinq mal à l'aise, en silence, la tête basse, de cet établissement où nous ne remettrons jamais les pieds. J'imagine même qu'il y aura — comme dans les aéroports — des photos de nous derrière la caisse, afin que les membres du personnel sachent en tout temps que plus jamais ces gens ne doivent passer la porte du restaurant. Et ce sera très bien ainsi.

Chapitre 8

Avant l'apocalypse

Malheureusement pour moi — et pour Léo — , les trois semaines précédant la ribambelle d'événements prémariage se sont écoulées à une vitesse fulgurante. J'ai passé de longues journées (pourtant trop courtes) à me prélasser au bord de la piscine d'Emilia, un verre de limonade à la framboise à la main, en écoutant les derniers hits populaires. J'ai fait quelques virées au cinéma les jours de pluie, j'ai rédigé avec mes sœurs l'hommage destiné à Ariel (non sans compromis et longues négociations) et j'ai lu plusieurs livres dans ma cour arrière, étendue sur l'herbe. Ma mère aurait bien voulu que je m'active davantage, mais je lui ai promis que l'an prochain j'irais porter mon CV (vierge) dans un restaurant ou dans une boutique (il reste à déterminer le boulot qui me dérange le moins : retourner des boulettes ou plier des chandails ?), mais que cette année je voulais profiter d'un été de paresse. Elle a semblé accepter l'entente, puisqu'elle n'a pas insisté davantage.

Avant même que j'aie pu apprendre à me tenir sur des talons hauts, cette semaine redoutée par tous et toutes — durant laquelle des activités sans intérêt et ennuyeuses se succéderont sans constance — est à nos portes.

La première journée est celle de l'enterrement de vie de fille d'Ariel. Une dizaine de ses copines du secondaire et de l'université s'entassent dans notre cuisine en attendant l'arrivée d'une Sirène fébrile ; elle sait que ses amies lui ont organisé des obsèques de célibataire, mais ignore le genre d'humiliations qui l'attendent (parce qu'il y a toujours humiliation dans ces événements, on ne sait simplement pas jusqu'où ça ira). Jasmine, Belle et moi nous tenons à l'écart pour laisser ces filles — aussi superficielles et frivoles qu'Ariel — s'occuper de la fêtée. Lorsque celle-ci entre enfin, vêtue d'une robe soleil dont le rose contraste élégamment avec le doré parfait de sa peau, elle fait mine d'être surprise, comme si elle n'avait pas elle-même choisi les gens qui seraient présents et établi l'heure précise de leur arrivée. Nous levons les yeux au ciel, dépassées par son sens aiguisé du spectacle.

La première activité qu'ont organisée les copines de la Sirène est assez comique : elle doit se tenir au coin d'une rue passante du centre-ville, un voile dans les cheveux et du rouge sur les lèvres, portant une pancarte sur laquelle il est inscrit : « Vous appelez-vous Maxime ? », et embrasser sur la joue chaque passant portant le prénom de son fiancé. Comme ce prénom a été l'un des plus populaires pour les enfants nés entre 1980 et 1990, Ariel embrasse beaucoup, beaucoup d'hommes dans la vingtaine, début trentaine. Certains sont plutôt jolis et l'effort ne semble pas titanesque, mais lorsqu'il s'agit de vieux croûtons qui feignent de s'appeler Maxime pour recevoir un peu d'affection de la part d'une jeune femme fringante et voluptueuse, l'écœurement transparaît sur le visage de la Sirène, et ces hommes semblent davantage humiliés qu'elle.

Après ce jeu un peu stupide, finalement, qui n'a servi qu'à insulter certains individus innocents, nous nous dirigeons vers un buffet chinois de bas étage, où les filles, déjà pompettes, pourront crier et s'exciter à leur guise. Laissant les énervées ensemble, Jasmine, la Bête et moi nous assoyons à une autre table. De cette façon, si elles dépassent les bornes, nous pourrons faire semblant de ne pas les connaître et les critiquer avec les autres clients du restaurant. Au bout du compte, même si elles piquent des croquettes de poulet au bout d'une baguette qu'elles tiennent entre leurs dents, se lancent du riz blanc par la tête et ouvrent une vingtaine de biscuits chinois pour trouver le message qui leur convient le mieux, leur comportement n'est pas plus dérangeant que celui du couple assis à côté de nous, qui remplit des sacs Ziploc et des plats de plastique de nourriture pour s'en faire des provisions.

Lorsqu'elles ont terminé leur repas (certaines d'entre elles sont beurrées de la tête aux pieds comme des enfants de maternelle qui auraient passé la journée à peinturer avec de la gouache), le groupe de dépravées m'abandonne pour aller finir la soirée dans un bar de danseurs nus. Je ne suis pas insultée d'être ainsi laissée de côté ; je m'estime même plutôt chanceuse de ne pas être obligée d'entrer dans ce cabaret où des femmes d'âge mûr aux désirs lubriques coincent une pièce de deux dollars entre leurs dents pour qu'un homme nu d'à peine vingt ans vienne le cueillir en se trémoussant. Jasmine aurait elle aussi préféré rentrer à la maison plutôt que de passer la soirée dans un établissement où une bière coûte plus cher qu'une danse contact, mais Ariel a fortement insisté pour qu'elle l'accompagne. J'en ai profité pour rappeler à Jasmine, non sans malice, que c'est l'une des journées d'Ariel, que, comme elle me l'a évoqué plus tôt, nous devons faire des efforts pour lui plaire et que ces derniers seront un jour récompensés. Je ne sais pas comment Ariel pourra un jour rembourser Jasmine pour cette entorse à ses principes, mais je suis certaine que la princesse arabe saura la lui remettre régulièrement sous le nez. Je prends donc l'autobus pour retourner à la maison, tandis que mes sœurs s'enfoncent dans le bâtiment aux effluves de sexe et de luxure.

Sylvie revient d'une formation à Toronto ce soir; je pourrai donc profiter de l'épaule réconfortante de ma douce maman pendant que mes sœurs se dévergondent chez les *gogo-boys*.

Ses valises sont encore dans le vestibule lorsque j'entre dans la maison. Elle est installée sur le divan du salon, les pieds sur le pouf, et discute avec quelqu'un au téléphone. Je viens m'asseoir près d'elle et allume le téléviseur en attendant qu'elle ait terminé de papoter. À peine une minute plus tard, elle précise à son interlocuteur que je viens d'arriver et qu'ils se reparleront plus tard.

— Bonjour, princesse ! lance ma mère. Tu survis ? poursuit-elle en voyant mon visage décontenancé.

— Oui, quand j'oublie que nous marions Ariel avec Maxime Demers dans deux jours.

— Tu devrais être contente, bientôt elle n'habitera plus sous notre toit et, le matin, tu pourras utiliser la salle de bain, pour faire changement, et partir à l'école moins bougonne, continue-t-elle en me pinçant une joue pour m'encourager.

Étrangement, ces mots ont plutôt l'effet contraire : j'éprouve soudain un sentiment de nostalgie. Ce mariage ne fait pas que m'apporter un beau-frère narcissique ; il m'enlève également ma sœur la plus âgée. Même si j'ai toujours critiqué Ariel et son égoïsme, elle est une part importante de ma vie, et la perspective de ne plus pouvoir lui hurler des reproches chaque matin me fait plus mal que je ne l'aurais imaginé. Je me sens tout à coup très fragile et je n'ai pas envie de me faire une psychanalyse pour comprendre les fondements de ce sentiment impromptu.

— On se fait du pop-corn et on écoute *Nez rouge* ? proposé-je à ma mère, à peine rentrée au bercail.

— Ce n'est pas un film de Noël, ça ?

— C'est d'abord une comédie romantique cucu qui fait du bien, le fait que ça se passe dans le temps des fêtes est accessoire, expliqué-je à ma douce maman, pas du tout certaine de la valeur de mon argument.

Voyant que sa collaboration est requise pour apaiser le petit cœur troublé de sa benjamine, Sylvie me dit qu'elle prend une douche, se met en pyjama et me rejoint dans quelques minutes. Je prépare donc deux bols de pop-corn (saveur artificielle au ketchup, et crème sure et oignon pour ma mère), insère le disque dans le lecteur et attends, enveloppée dans une couverte, que la globe-trotter ait terminé de se préparer. Elle revient une quinzaine de minutes plus tard avec un présent dans les mains.

— Comme il semblerait que nous célébrons Noël ce soir, voici ton cadeau du père Noël, qui te fait dire d'arrêter de jouer avec les saisons de si perverse façon, déclame ma mère en me remettant le petit paquet, emballé dans du papier argenté et orné d'un chou rouge.

J'ignore ce qu'il peut y avoir à l'intérieur et encore moins pourquoi j'ai droit ainsi, sans raison, à une surprise, mais sans plus de questions je déchire l'emballage d'un seul coup, surexcitée. Je découvre une boîte métallique ronde recouverte d'un morceau de papier adhésif beige sur lequel il est écrit « bébé Maude ». Je regarde ma mère.

— Ton père avait filmé tes premiers pas avec la vieille caméra de sa mère.

Elle s'arrête un instant, visiblement troublée par les souvenirs qui canardent son esprit.

— Je ne voulais pas te le donner. J'avais peur que l'image de ton père et celle de tes grands-parents en santé te troublent. En fait…

Elle reformule :

— J'avais peur qu'elle me trouble. Je t'ai privée de ces souvenirs parce que j'avais peur qu'ils me reviennent en tête, que je regrette un bonheur que je n'ai plus le droit aujourd'hui d'espérer.

L'ambiance devient soudain excessivement lourde. Je voudrais consoler ma mère, trouver quelque bonne parole qui apaiserait sa peine, mais je suis impuissante face à tant de mélancolie. Ne trouvant pas les mots, je la prends dans mes bras et tente d'éponger par mon étreinte un peu de son chagrin. Elle se ressaisit quelques instants plus tard et clame qu'elle a bien besoin de se changer les idées.

— Ça tombe bien, la comédie romantique a été un peu inventée pour ça, m'empressé-je de déclarer en empoignant la télécommande qui s'était glissée entre deux coussins du divan.

Je tends un bout de la couverture à ma mère et démarre ce film d'Érik Canuel dans lequel Patrick Huard tente de séduire une romancière rancunière. Je serre la bobine de film archaïque contre mon torse. J'ai peur, pourtant, de découvrir ce qui se cache sur ce ruban. Peur d'y découvrir une fillette épanouie qui se destinait à autre chose, à une vie familiale plus normale avec deux parents et des sœurs solidaires.

Je décide de laisser de côté mes pensées moroses et me concentre sur le téléviseur et sur le moment privilégié que je passe avec ma mère. Il ne faut que quelques minutes pour que je retrouve un semblant de sérénité. Je me délecte de maïs soufflé et de clichés scénaristiques exaltants du genre : « Ce n'est pas parce que quelque chose n'existe pas qu'il faut cesser d'y croire. » Je me sens même à un moment comme une enfant unique, une enfant gâtée et désirée (toutes ces choses que je ne suis pas).

Il est au moins trois heures du matin quand, de mon lit, j'entends Jasmine et Belle trébucher dans les escaliers, chacune tentant de traîner son corps ivre jusqu'à sa chambre. Elles soufflent des « chhuut » et des « il ne faut pas réveiller Maude », mais leurs efforts sont rapidement détruits par ces mêmes paroles censées m'épargner. Il me faut au moins une heure pour replonger dans un sommeil confortable, une heure à me tortiller entre mes draps froids et à pester contre mes écervelées de sœurs qui ne savent pas se tenir et chahutent en rentrant au petit matin.

C'est pourquoi le lendemain, quand mon corps s'éveille et refuse — pour des raisons qui me sont étrangères — de faire la grasse matinée, je prends un malin plaisir à leur rendre la monnaie de leur pièce et à sauter sur leur lit pendant qu'elles dorment à poings fermés. « La vengeance est plus douce que le miel », disait Homère dans *L'Iliade*, et le poète grec n'avait pas tort. Réveiller ainsi mes sœurs, celles qui osent ruiner mes matins avec des airs gaillards ou des ronchonnements désagréables, me procure une joie démesurée, presque extatique. Je vais d'une chambre à l'autre en accompagnant mes bonds de cris gutturaux qui ne semblent pas plaire aux cerveaux ramollis des princesses L'Espérance. Elles parviennent finalement, après plusieurs minutes, à sortir de leur léthargie pour me poursuivre à travers le sous-sol. La course est, par contre, promptement remportée par la fringante adolescente, qui n'a pas consommé des litres d'alcool hier pour l'enterrement de vie de jeune fille de sa sœur. Mes deux adversaires déclarent prestement forfait et retournent se réfugier dans la chaleur de leur douillette, où personne ne hurle dans leurs pauvres oreilles malmenées par la musique tonitruante d'un soir de brosse.

Je suis, pour ma part, d'une bonne humeur surprenante en ce début de journée de juillet, et ce, jusqu'à ce que ma mère me rappelle, alors que je déguste tranquillement un bol de Frosted Flakes, que nous répétons le souper de mariage cet après-midi. Même si on a tenté de me l'expliquer à quelques reprises, je ne comprends pas encore pourquoi il est nécessaire de répéter pour un repas. Je sais que chacun doit gagner sa place au bon moment, et que c'est une belle occasion pour la famille du marié de rencontrer celle de la mariée, mais comme je n'ai aucune envie de connaître ceux qui ont engendré Maxime Demers et les autres membres de sa lignée de sang impur (bon, j'y vais peut-être un peu fort, là), ce rassemblement ne représente pour moi que contrariété et affliction. Je retrouve vite un air abattu pendant que les céréales roulent dans ma bouche au rythme de mon désespoir. Mes sœurs ne sortent pas de leur antre avant midi. Tels des vampires qui craignent les rayons du soleil, elles se recroquevillent, comme brûlées, lorsqu'elles passent devant une fenêtre ouverte.

— Dépêchez-vous, les filles, il faut être à la salle à 14 h, lance ma mère aux deux épaves qui lui servent de filles.

Jasmine et Belle font signe à Sylvie de parler moins fort. Elles s'assoient l'une en face de l'autre à la table de la cuisine et tiennent leur tête à deux mains, comme si elles craignaient qu'elle n'explose ou tombe de son socle. Mes sœurs ne semblent pas plus enchantées que moi à l'idée de se livrer à ces préliminaires d'un mariage qui sera suffisamment lourd, nul besoin de préludes.

— Est-ce qu'on est obligées d'y aller ? tente Belle, le visage toujours penché vers la table.

Ma mère se contente de répondre un « oui » brutal qui ne laisse aucune place à la discussion.

— Est-ce que tu pourrais au moins faire du café, ma belle Maude chérie que j'aime d'amour ? demande alors Jasmine de sa voix la plus téteuse.

Sans un mot, je me dirige vers la cafetière pour concocter un breuvage bien fort à mes soûlonnes de sœurs. Elles me remercient en écrasant leur joue sur le bois verni de la table. Sylvie encourage alors les zombies à accélérer la cadence et à se laver, à sauter dans des vêtements propres et à s'arranger les cheveux pour que nous ne soyons pas en retard. Elle semble nerveuse.

Probablement que marier sa fille aînée est un événement important dans la vie d'une mère, et probablement aussi que de ne pas connaître la famille que l'homme qu'elle épousera ne l'aide pas à prendre les choses à la légère.

— Maxime a même de la famille qui vient de l'Italie qui sera là cet après-midi, lance Sylvie, une anxiété palpable et un trémolo dans la voix.

— Du calme, ce n'est pas la reine d'Angleterre qui débarque, dis-je pour tenter d'alléger la tension qui étrangle ma pauvre mère de plus en plus à mesure que l'heure fatidique du départ approche.

— C'est bien pire, Maude, poursuit-elle en attrapant son plumeau pour épousseter, chose qu'elle ne fait que lorsqu'elle panique.

Si on en est à l'étape du ménage maniaque, la situation est plus critique encore que je ne l'imaginais. Quand mes sœurs ont finalement terminé de se préparer (une heure quarante-cinq plus tard), on se précipite vers la voiture, menées par une Sylvie paniquée. Jasmine propose à ma mère de prendre le volant lorsqu'elle réalise que cette dernière tremble frénétiquement.

— Même si je suis encore un peu bourrée, je pense que vous serez plus en sécurité avec moi, précise la princesse arabe en s'installant derrière le volant.

Belle et moi sommes entièrement d'accord et remercions Jasmine de l'initiative, même si Sylvie soutient qu'elle est « quand même capable de conduire ».

Comme la salle du Château Bon Séjour, où aura lieu le prestigieux événement demain, était déjà occupée, nous devons répéter dans la salle du centre communautaire, près de la maison. Léo nous accueille avec enthousiasme.

— Jasmine, Belle, Maude... et j'imagine que vous êtes la mère, dit-il en se tournant vers Sylvie. Quoique ce n'est qu'une simple déduction... parce que vous semblez bien jeune pour être la mère de quatre grandes filles comme les vôtres.

Ses techniques de charme, quoique désuètes et stéréotypées, fonctionnent à merveille sur ma mère qui émet de petits rires gênés, comme il convient de le faire à la suite de ce genre de compliment. L'enjôleur nous recommande d'aller tout de suite rejoindre Ariel au fond de la salle, puisqu'elle nous réclame, semble-t-il, depuis maintenant plus d'une demi-heure. Supporter Ariel en temps normal est une tâche ardue ; supporter Ariel en temps de crise représente un défi que je ne suis pas sûre d'avoir la force de surmonter.

Nous pressons le pas pour rejoindre notre Sirène qui déplace certainement beaucoup d'air aujourd'hui et exaspère — j'en suis convaincue

— bien des convives, particulièrement les Italiens, pas encore au fait de l'imprévisibilité et l'effervescence de ma sœur aînée (ils le seront bien assez tôt, je fais confiance à Ariel pour démontrer rapidement sa vraie nature aux étrangers).

Elle se tient dans un coin avec son fiancé et trois jeunes hommes que je ne connais pas. Dès qu'elle nous voit, elle se précipite vers nous comme si elle ne nous avait pas vues depuis des mois. Sans doute est-elle elle aussi encore ivre de la vieille, puisqu'elle nous lance d'une voix pleurnicharde qu'elle nous aime et apprécie que nous soyons avec elle dans ce moment difficile. J'ai l'impression que lui rappeler qu'elle se marie et que c'est un événement heureux serait peut-être déplacé, mais ses envolées dramatiques m'encouragent pourtant à le faire. Avant que j'aie pu ouvrir la bouche, cependant, elle nous présente les garçons d'honneur de Max. Le premier ressemble tellement à son futur mari — cheveux parfaitement coiffés, teint jaune à cause de l'abus d'autobronzant, rasé, musclé, avec un parfum de patchouli et de romarin — que si je l'avais croisé dans la rue, je l'aurais sûrement pris pour Max ou pour son frère jumeau. Bizarrement, les deux hommes n'ont en fait aucun lien de parenté.

— Benoît est mon meilleur ami depuis que j'ai six ans, nous ne nous sommes jamais laissés tomber, nous dit Maxime.

Ils ont probablement aussi la même esthéticienne, la même coiffeuse et le même entraîneur privé : que c'est beau, l'amitié entre hommes ! me dis-je en moi-même en serrant la main du sosie.

— Voici Cédric, mon grand frère, dit alors Maxime en nous présentant le deuxième spécimen mâle qui nous accompagnera à l'église.

Cédric est… différent. Il est vraisemblablement l'intellectuel de la famille. Il porte des lunettes rondes, a les cheveux en brosse, mais un sourire ravageur qui interpelle immédiatement Jasmine. Son enchantement est, par contre, de courte durée, puisque quelques secondes plus tard la petite amie de Cédric lui saute au cou, comme si elle avait senti qu'une belle célibataire ennemie s'approchait de son trophée. Un peu coincé, Cédric nous présente sa copine, Éléonore. Elle respire la jalousie et la dépendance affective. J'imagine que le pauvre gars n'a pas beaucoup l'occasion de sortir sans la surveillance de sa douce moitié.

Ariel nous présente ensuite le troisième garçon d'honneur : le cousin italien de Maxime, Donatello DeFelice, arrivé d'Europe il y a à peine vingt-quatre heures. Dix-sept ans, les cheveux mi-longs, un accent adorable et un nom de Ninja Turtle. Comme moi, il ne semble pas tout à fait à l'aise avec le faste de l'événement et la complexité de l'organisation. Lorsque nous nous serrons la main et que nos regards se croisent, je remarque qu'il a un œil bleu clair et un noisette ; une particularité qui m'amène à prononcer une sottise du genre :

— Tes yeux sont fous !

Je regrette aussitôt mon commentaire, tentative de compliment lamentable (qui se trouve certainement, d'ailleurs, sur la liste des choses qu'on lui dit le plus souvent). Donatello sourit de ses dix mille dents blanches et me remercie, légèrement gêné. Maxime nous explique que Don est un peu comme un petit frère pour lui, qu'il est souvent allé lui rendre visite en Italie pendant les vacances d'été, et que lui faisait de même lorsque la neige, le verglas, les nids-de-poule, le fleuve brun et les poissons à trois yeux qui y vivent lui manquaient. Ils ont même entretenu une correspondance pendant des années, avant qu'Internet devienne monnaie courante et rende l'écriture sous-productive.

— Maintenant que tout le monde est arrivé, nous allons répéter l'entrée des mariés, annonce Léo de sa voix la plus autoritaire (qui ne l'est, en fait, pas vraiment).

Nous nous plaçons où il nous le demande, nous nous déplaçons lorsqu'il nous fait signe et nous levons ou nous assoyons à l'endroit et au moment où il nous l'ordonne. Nous apprenons par cœur la chorégraphie, qui est même à la portée du grand-père aveugle et sourd de Maxime (vous vous imaginez donc sa simplicité), puis l'animateur nous libère pour le reste de la soirée. Jasmine, Belle et moi attendons dans l'entrée, près du vestiaire, que notre chère maman ait terminé de flagorner la belle-famille. Pour passer le temps, nous espionnons Ariel qui court dans tous les sens dans la grande pièce, maintenant presque vide, cherchant un problème à régler ou quelqu'un à congédier au téléphone. Entre le fleuriste, le photographe, le prêtre, l'animateur de la disco-mobile, le concierge, le propriétaire de la salle et son organisateur de mariage débordé, elle a l'embarras du choix si elle souhaite jeter son dévolu sur un plus faible pour évacuer son stress. Évidemment, Jasmine, Belle et moi figurons également sur la liste des gens qu'elle pourrait embêter, mais comme nous devons la supporter jour après jour, nous restons cachées derrière la porte pour éviter que l'idée de nous prendre encore comme punching-ball ne lui traverse l'esprit. De la voir secouer des inconnus nous procure un plaisir presque malsain.

Sylvie finit par nous rejoindre et nous demande, étonnée, ce que nous faisons, planquées entre la porte à moitié ouverte et le mur. L'air innocent, nous répondons : « Rien ! », comme des enfants qui ont caché les clés ou le chapeau d'un invité. Elle ne s'inquiète pas davantage de notre attitude étrange. Elle a l'habitude.

— Je vais rester ici avec Ariel, annonce ma mère. Elle a beaucoup de choses à régler, et je crois qu'un coup main ne lui fera pas de tort.

Elle s'est donc volontairement désignée comme punching-ball ! C'est peut-être ça, l'amour inconditionnel d'une mère... Bien contentes de fuir cet endroit et de nous épargner ainsi le rôle de boucs émissaires, mes sœurs et moi quittons la salle.

Jasmine sort les clés de sa poche et s'installe au volant. Sur le chemin du retour, mes sœurs me racontent leur cuite d'hier soir et tous les mauvais coups qu'elles ont réservés à Ariel au cours de la soirée, notamment la faire monter sur scène avec les mâles alpha (si des exhibitionnistes au torse luisant, sans un poil, déguisés en pompiers et en policiers peuvent être qualifiés de mâles alpha). Des images de ma grande sœur aguichée par des hommes en uniforme ne me plaisent pas particulièrement. Je demande à Jasmine et à Belle de cesser de traumatiser ainsi leur cadette.

Dès que la Bête et la princesse arabe ont passé le pas de la porte, elles lâchent un bâillement gigantesque, comme si la maison leur rappelait leur courte nuit et leur gueule de bois. Sans un mot, elles retournent se coucher. Seule pour souper, je sors des Pizza Pochettes du congélateur, les dépose dans le micro-ondes et les regarde tourner sur le plateau avec fascination, pour ensuite déguster mon festin devant le téléjournal. Il ne faut, par contre, je dois l'admettre, que l'évocation d'un meurtre et d'un accident de la route pour que je change de chaîne et me tourne vers des sujets moins déprimants. Je choisis de regarder plutôt *America's Next Top Model*. Une émission certes moins intellectuelle (même insignifiante), mais qui n'a pas tendance à démoraliser ses spectateurs. À moins bien sûr que l'on ne commence à réfléchir au concept de la série, à sa bêtise et à sa vanité, mais généralement le public cible ne va pas jusque-là, et moi non plus.

Il est environ 21 h lorsque ma mère rentre à la maison ; Ariel a visiblement profité de l'appui de maman en ces temps de crise. Même si elle doit bien se rendre compte que la télévision est allumée et que l'une de ses princesses végète dans le divan, elle ne fait pas attention à moi et s'enferme dans sa chambre. Légèrement inquiète, je vais cogner à la porte pour m'assurer que la journée s'est bien terminée et que la Sirène n'a pas décidé de jouer à la « mariée en fuite ».

— Ça va, m'man ?

— Oui, oui, Maude, je suis crevée. Désolée, mais je me couche immédiatement, je veux être en forme pour demain, me dit-elle de derrière la porte close.

J'accepte ses justifications et retourne m'écraser devant des émissions de fin de soirée intellectuellement dégradantes. Une heure ou deux plus tard, j'abdique et m'enveloppe dans mes draps mauves en priant intérieurement pour que demain ne soit pas le cauchemar auquel je m'attends.

Je suis naïve, si naïve…

Chapitre 9

My big fat Italian wedding

Prête à vivre une journée misérable, l'une des pires de ma courte existence, j'ouvre un œil ce matin, lentement, en espérant apercevoir les débris d'un monde détruit par un astéroïde géant ou un séisme d'envergure mondiale. Malheureusement, je ne vois rien d'inhabituel dans cette chambre qui est la mienne ; pas de corps démembrés, pas de murs effondrés, pas de cendres dans l'air ni de sang, que quelques grains de poussière dansant sur les rayons du soleil qui traversent mes stores verticaux. J'ouvre alors le second œil et observe la robe rouge suspendue derrière ma porte sur un cintre enveloppé de satin ; cette robe conçue spécialement pour moi et que je ne porterai qu'une fois, en cette journée funèbre du 1er août. J'entends derrière ma porte close les pépiements de deux demoiselles d'honneur plus dignes de la tâche que moi. Je sais que, dans quelques secondes, l'une d'elles viendra arracher mes draps et entamera un hymne matrimonial pour me rappeler l'ignoble évidence : nous marions l'une d'entre nous aujourd'hui. Je referme pourtant les yeux et m'enveloppe dans mes couvertures en espérant que cette journée, trop tôt arrivée, ne soit qu'un cauchemar.

Jasmine me confirme l'infâme réalité en se présentant dans ma chambre telle une voleuse et en secouant doucement mon corps encore endormi.

— Allez, princesse ! Lève-toi, c'est l'heure, susurre-t-elle, assise sur mon lit.

Je réponds d'un grognement nonchalant et mets mon oreiller sur ma tête. Ma sœur s'empare alors de mon couvre-chef improvisé et se met à en frapper mon pauvre petit corps sans défense. Elle n'arrête que lorsque je décide finalement de me lever, vaincue ; je n'échapperai pas à cette journée maudite.

— Ariel nous attend chez la coiffeuse et il ne faut pas être en retard si on ne veut pas qu'elle nous massacre, lance Jasmine, s'enfuyant déjà dans le corridor pour continuer à se préparer.

Comme on nous maquille, on nous coiffe et on nous pomponne aujourd'hui de la tête aux pieds afin que nous soyons magnifiques pour notre Sirène, je n'ai nul besoin de m'éterniser devant le miroir. Mes cheveux emmêlés et mes cernes monstrueux — qui me donnent l'air d'une enfant battue — seront vite mis au pas par quelques prouesses de professionnels de la coiffure et de l'esthétique.

Belle et Jasmine sont déjà sous le porche lorsque je m'extirpe des profondeurs du sous-sol des L'Espérance avec mon sac à bandoulière. Je monte, avec elles, dans la vieille voiture familiale de notre mère, qui est déjà au salon de coiffure (probablement au bord de la crise de nerfs) avec la mariée. Comme elles quittent la maison pour plus de vingt-quatre heures, mes sœurs ont cru bon de transporter avec elle l'intégralité de leur garde-robe, plus quatre tonnes de produits cosmétiques et des provisions, juste au cas où (au cas où quoi? Elles ne l'ont pas encore déterminé). Je suis résignée à prendre le taureau par les cornes et à affronter cette journée avec autant d'entrain que me le permet ma force physique et mentale. C'est donc avec allégresse que je me coince entre la monstrueuse valise de Belle et celle, orange fluo, de Jasmine.

Belle se gare devant le salon choisi par la Sirène, où on nous transformera en véritables princesses, des princesses dignes de l'accompagner dans l'allée centrale de l'église. L'établissement à la façade vitrée s'avère — sans surprise — être un endroit branché où des coiffeuses branchées coiffent des clients branchés en se dandinant sur une musique branchée. Je n'attendais rien de moins d'un lieu sélectionné minutieusement par Ariel; si des professionnels respectés ayant du style et de l'attitude ne s'étaient occupés de son apparence le jour de son mariage, la vie n'aurait plus de sens.

Une réceptionniste aux longs ongles couleur corail nous accueille avec une joie démesurée.

— Bonjour ! Bienvenue au salon Fraser. Comment puis-je vous aider en ce beau samedi matin ?

Au fond de la pièce, Léo nous aperçoit et s'empresse de venir nous accueillir. Il m'entraîne par le bras en me disant qu'Ariel est « légèrement irritable ce matin ». Comme Ariel est toujours irritable, je n'ose pas imaginer le niveau d'irritabilité qu'elle peut atteindre à quelques heures d'épouser l'homme de ses rêves. Jasmine et Belle nous suivent jusqu'à la sainte chaise où est posé le cul béni de notre sœur aînée.

— Vous êtes là ! nous lance-t-elle alors qu'elle nous voit arriver dans le miroir devant elle. Vous ne pouvez pas être en retard aujourd'hui, les filles, c'est vraiment très important pour moi, vous le savez pourtant, poursuit-elle.

L'horloge sur le mur indique 10 h 32 ; nous avons donc deux petites minutes de retard et on nous sert le speech du « c'est le jour le plus important de ma vie, il faut que tout soit parfait » et bla-bla-bla. Je préfère ne pas envisager quel genre de discours nous livrerait notre sœur si nous avions dépassé les quinze, voire les impardonnables trente minutes de retard. Son laïus aurait sûrement frisé le sermon. Celui-ci viendra inévitablement plus tard dans la journée, quand nous oublierons de retenir sa traîne ou de divertir ses invités avec tact. Parce qu'elle nous l'a bien précisé il y a quelques semaines : le rôle d'une demoiselle d'honneur n'est pas simplement celui d'une accompagnatrice, mais celui d'une confidente, d'un boute-en-train, d'une hôtesse, et elle a une foule d'autres fonctions… Ariel les a lues dans un magazine féminin qu'elle nous a fortement recommandé de consulter avant le Grand Jour, écrivant le numéro de la page sur le bloc-notes près du téléphone. Évidemment, ni Jasmine, ni Belle, ni moi ne nous sommes abaissées à parcourir un texte écrit par une journaliste frustrée qui rêve de politique internationale, mais qui est forcée, pour arriver à manger à sa faim, d'écrire des frivolités dans un périodique lu par de jolies idiotes qui ignorent le nom du président de la République française.

La jeune femme qui coiffe Ariel — une personne sans doute excessivement patiente, puisqu'elle semble n'avoir tenter aucun homicide sur la mariée... pour le moment du moins — nous indique que ce sera bientôt notre tour. Elle fait signe à une de ses collègues de venir nous rejoindre. Cette dernière précise qu'elle coiffera Jasmine et Belle, et que j'aurai la chance d'être coiffée par la même artiste que la mariée. Je m'assois donc sur le divan branché (mais pas très confortable) en attendant qu'on ait terminé la métamorphose d'Ariel en épouse.

Tandis que je patiente, je feuillette un numéro antédiluvien du *Elle Québec* qui date d'une époque où la salopette était à la mode. Je me dis alors que les vieux magazines sont peut-être un prérequis dans ce genre d'établissement de beauté, que pour obtenir une licence on doit absolument présenter une pile de vénérables périodiques remplis de données périmées et d'informations réfutées depuis la date de parution. On pourrait croire que, dans un établissement branché comme celui-ci, on aura droit au numéro le plus récent, mais non. Peut-être y a-t-il par contre une initiative artistique derrière ces vieux magazines ; parce que tout le monde sait que le vieux est branché... à condition de savoir le doser et l'appliquer adéquatement.

Léo, au téléphone avec je ne sais quel collaborateur, rappelle à ce dernier l'heure de la cérémonie, comme si le renseignement avait été mal transmis. Ariel pousse régulièrement de petits cris aigus et désagréables pour évacuer son stress, et probablement aussi pour nous rappeler l'importance de la célébration et l'intensité — incomparable — des émotions qu'elle vit en ce moment précis (je ne crois pas qu'il nous serait humainement possible de l'oublier, mais notre sœur, semble-t-il, nous prend pour des demeurées). Ma mère, qui se faisait faire les ongles par une manucure dans une pièce adjacente, vient me rejoindre sur mon fauteuil dernier cri.

— Rassure-moi, Maude, tu ne prévois pas te marier avant dix ou quinze ans, n'est-ce pas ? me lance-t-elle, comme essoufflée par les nombreuses émotions que sa fille la plus âgée lui fait vivre.

— J'ai quinze ans, maman.

C'est la seule chose rationnelle que je trouve à lui dire.

Je pourrais certes ajouter que je n'ai guère l'intention de me marier un jour, que je trouve cette tradition — dont on ne peut même plus justifier l'existence aujourd'hui en évoquant la religion — dépassée et inutile, mais il me semble qu'exprimer mon opinion défavorable sur le mariage quelques heures avant que ma sœur ne célèbre le sien est légèrement déplacé.

Ma mère me répond que l'âge n'a rien à voir là-dedans, qu'elle-même s'est mariée à dix-neuf ans et que plusieurs de ses amis ont fait de même à l'époque. Je viens à deux doigts de lui servir un commentaire du genre : « Et on voit comment ça s'est terminé, aussi, ton mariage hâtif ! », mais une mystérieuse entité invisible semble veiller à ce que je ne gâche pas la fête, et je parviens à me contenir. (Quelle retenue aujourd'hui ! Je m'épate.)

La coiffeuse, qui se prénomme Véronique, mais qui préfère qu'on l'appelle Véro, m'invite à prendre place devant le miroir. Ariel et ma mère s'envolent, quant à elles, en un coup de vent vers le lac Montclair où aura lieu la grande cérémonie.

La spécialiste du cuir chevelu me demande d'emblée si je suis excitée par le mariage de ma sœur. Belle, assise sur la chaise pivotante à côté de la mienne, s'empresse de répondre à ma place :

— Nous sommes toutes très heureuses d'accompagner notre sœur quand elle franchira cette nouvelle étape de sa vie.

Sa réplique est tellement télégraphiée, tellement mécanique, que j'ai l'impression qu'elle a lu quelques cartes de souhaits de la section mariage et a retenu les textes pour s'en servir dans des situations potentiellement conflictuelles, comme celle-ci. Je ne suis pas la seule à être étonnée par son intervention. Ma coiffeuse me lance un regard décontenancé dans le miroir.

— Tout à fait, dis-je enfin pour éviter de contrarier la Bête, qui semble appréhender que je ne déballe mes frustrations à une étrangère qui joue dans mes cheveux.

— Vous êtes quatre enfants ? poursuit Véro, bien décidée à faire un brin de causette malgré l'air rébarbatif de sa jeune cliente.

— Oui.

Rien de pertinent à ajouter.

— Et vous avez des noms assez peu communs...

Les gens ne savent jamais vraiment de quelle manière aborder le sujet délicat du nom de mes sœurs. C'est assez tabou. La cigarette, la drogue, le sexe, l'alcool, ce sont des choses dont on peut parler assez librement. Mais une mère qui commet l'affront de baptiser ses propres filles de noms de princesses de dessins animés, ça s'avère gênant pour tout le monde. Personne ne sait trop comment en parler, mais tout le monde veut savoir. Nous ignorons toujours quoi répondre aux curieux qui osent se lancer. Personnellement, je n'ai pas réellement eu à affronter ce genre de question, puisque mon nom ne rappelle à qui que ce soit un personnage discutant avec des ustensiles ou se promenant sur un tapis volant avec un mec au teint basané qui a la voix de Joël Legendre. Mais mes sœurs, elles, ont passé leur vie à répéter qu'elles n'étaient pas responsables des égarements d'une mère excentrique.

Je réponds simplement à Véronique que leurs noms proviennent effectivement des films auxquels elle pense, mais lui mentionne, baissant la voix, qu'il serait préférable de ne pas lancer le débat aujourd'hui. Un peu gênée, elle m'indique d'un geste qu'elle comprend tout à fait et change de sujet promptement, revenant à des choses plus techniques.

— Vous allez toutes avoir la même coiffure haute, une coiffure très simple, mais très jolie, qui devrait tenir jusqu'à demain matin.

Je ne vois pas l'intérêt que mes cheveux restent impeccables jusqu'à demain, mais fais signe à la coiffeuse que j'ai compris ses précisions.

Lorsqu'elle achève de monter mes cheveux en un chignon stylisé et dépose quelques roses rouges en tissu ici et là, à la demande d'Ariel, pour parfaire le « déguisement » qu'elle nous a choisi, Véronique décide de vider sa bombe entière de fixatif sur ma tête. Je comprends maintenant comment ma coiffure survivra aux attaques de mon oreiller. Quand elle a terminé de m'asperger le visage d'hydrofluorocarbone, mes cheveux sont tellement durs que si une brique me tombait sur la tête, elle se désintégrerait avant que je n'aie même conscience de l'impact. En sortant de mon nuage de produits chimiques, je remarque pour la première fois les ressemblances physiques qu'il y a entre Belle et moi. Maintenant coiffée exactement comme moi, ma sœur dévoile des traits que je n'avais jamais eu la chance d'observer, compte tenu de ses cheveux longs et raides qui cachent toujours son visage.

— Vous ne pouvez pas nier que vous êtes des sœurs en tout cas, dit la coiffeuse de Belle.

Elle aussi l'a remarquée, cette ressemblance qui ne m'avait jamais frappée autant qu'aujourd'hui.

— C'est vrai qu'en vieillissant, tu deviens de plus en plus magnifique, ma petite sœur, déclare alors la Bête, se lançant des fleurs au passage.

Nous nous dirigeons toutes les deux vers le cabinet de la maquilleuse pour parachever notre transformation en honorables demoiselles d'honneur. Du fond de teint en quantité industrielle, du crayon à yeux noir, du fard à paupières rouge, du mascara, du gloss (qu'il faudra rafraîchir fréquemment pour éviter que nos lèvres ne deviennent mates — oh ! le crime du siècle !), quelques brillants pour rendre notre air encore moins naturel, et nous sommes prêtes à escorter notre Sirène jusque devant l'autel… ou presque. Reste encore à enfiler nos robes ridicules, nos bas de nylon inconfortables et nos souliers d'une hauteur irraisonnable.

Nous attendons que Jasmine ait terminé son tour pour remonter dans la voiture, en prenant bien soin de ne pas compromettre notre maquillage et notre coiffure, que des professionnels ont mis des heures à peaufiner. Nous avons un horaire bien précis à suivre, pas question d'y déroger et de faire paniquer notre future mariée déjà hystérique.

Le plan est simple : nous devons nous rendre au manoir, prendre les clés de notre chambre, y monter, nous déguiser, puis retrouver le couple princier à l'église, à quelques mètres de l'hôtel. Simple ?… Une catastrophe est toujours imminente lorsque la conductrice et la copilote ont un si piètre sens de l'orientation. Le GPS collé au pare-brise ne cesse de rabâcher les mêmes trois mots :

« Recalcul en cours. » Bientôt, Jasmine est si excédée par la voix machinale de l'appareil qu'elle l'agrippe et le lance au fond de la voiture, à l'endroit précis où se trouvent les pieds de Belle. Au bord de la crise de nerfs et fatiguée d'être narguée depuis près d'une heure par les épinettes qui agrémentent le paysage, la conductrice finit par laisser son orgueil de côté et décide de s'arrêter à une station-service (le premier commerce que nous rencontrons depuis trop longtemps) pour demander son chemin.

Le pauvre commis semble complètement désemparé lorsque trois jeunes femmes à l'air bête, maquillées et coiffées de la même façon, débarquent dans son magasin. La princesse arabe lui présente le plan de Google Maps (nous avions le GPS *et* le plan de Google Maps, et nous sommes tout de même arrivées à nous perdre) en le suppliant de nous indiquer la route à suivre. Tout en consultant la carte d'un œil distrait, l'homme nous demande où nous allons ainsi attriquées. Comme poussée par une curieuse impulsion, Belle répond spontanément :

— Nous sommes des danseuses de ballet classique.

Jasmine et moi nous tournons vers notre sœur, abasourdies. Elle nous fait signe d'embarquer dans son jeu, ce que nous faisons, ne sachant trop où notre ballerine veut en venir. Lorsque le type nous demande avec quelle troupe nous travaillons, Jasmine répond que nous avons récemment créé notre propre formation et espérons percer dans le milieu très compétitif de la danse classique. Cette conversation devient de plus en plus insensée. Le jeune homme finit par repérer sur la carte l'endroit où nous sommes et nous apprend que nous roulons depuis plus de vingt-cinq minutes en sens inverse. Il nous explique comment retrouver le bon chemin pour nous rendre à notre hôtel où, selon l'histoire de Jasmine, nous devons nous reposer avant de prendre l'avion pour Milan où nous donnons une représentation devant des collaborateurs potentiels. Le gentil caissier nous souhaite bonne chance et nous remontons dans la voiture, encore sous le choc à cause de la vie que nous venons juste de nous inventer. Nous attendons de ne plus être dans le champ de vision du commis, qui nous observe de son immense fenêtre, pour éclater de rire.

— Pourquoi tu lui as dit ça, Belle? dis-je lorsque je reprends enfin mon souffle.

— Je ne sais pas. Il va raconter ça à ses chums et nous serons pour l'éternité, dans l'esprit de quelques jeunes adultes sans importance, des ballerines ambitieuses.

L'idée me plaît bien. Un petit mensonge sans conséquence comme celui-là peut nous transformer en personnes complètement différentes que celles que nous sommes en réalité.

Bientôt, grâce aux conseils de la seule personne sur cette terre qui croie que Jasmine, Belle et moi sommes des danseuses de ballet, nous atteignons finalement le Château Bon Séjour du lac Montclair. Évidemment en retard, nous garons la voiture et courons comme des marathoniennes, nous faufilant entre les automobiles alignées dans le stationnement, pour enfin atteindre le hall de l'hôtel, le souffle court. Le gentil — mais légèrement naïf — commis du dépanneur de saint-loin-loin-dans-le-fond-du-rang aurait maintenant beaucoup plus de mal à croire que nous sommes des athlètes professionnelles…

Nous nous présentons au comptoir de la réception où nous accueille une femme qui paraît blasée. Elle nous scrute de la tête aux pieds avant de demander, l'air bougon :

— Comment puis-je vous aider ?

— Nous sommes ici pour le mariage de notre sœur, Ariel L'Espérance, dit Jasmine. Nous avons une chambre réservée au nom de… Elle l'a réservée au nom de qui, la chambre ? s'enquiert-elle soudain en se retournant vers nous, qui nous tenons sagement derrière elle.

Nous haussons les épaules et faisons notre plus belle moue dubitative. La réceptionniste émet de petits soupirs d'impatience. Jasmine lui donne nos noms les uns après les autres, mais la renfrognée dit ne rien trouver dans son registre informatisé. Le ton de ma sœur monte légèrement, sachant qu'il y a probablement, à quelques rues d'ici, une mariée en furie.

— Madame, il faut que nous y soyons, elle ne nous aurait pas oubliées, nous sommes les demoiselles d'honneur, plaide alors Belle en s'approchant du comptoir.

Nous nous faisons, à cet instant, toutes les trois la même réflexion : serait-ce possible que notre sœur ait omis de nous réserver une chambre ? La réponse est d'une évidence cristalline : bien sûr qu'Ariel a pu nous oublier, nous, ses sœurs et demoiselles d'honneur, celles qui, sans broncher, acceptent de se déguiser en bouquets de roses pour que les projecteurs soient sur elle.

— Non, vraiment, il n'y a rien, finit par conclure, excédée, la dame derrière le comptoir.

Pressées et abattues, nous lui demandons si elle n'aurait pas une solution. Alors que nous espérions qu'elle nous offre une chambre, elle nous propose de mettre nos bagages en consigne et de nous changer dans les toilettes de l'accueil. N'ayant plus le temps de parlementer, nous acceptons son offre chiche. Nous lui laissons nos valises et courons, encore une fois, vers un autre détour.

Je pousse la porte des toilettes avec une force démesurée et nous nous catapultons chacune dans une cabine pour enfiler nos robes. Nos coudes cognent sans arrêt les cloisons. Nous laissons échapper quelques jurons en tentant d'enfiler nos bas de nylon. Évidemment, je fais quelques entailles aux miens, certaines discrètes, en haut de ma cuisse, mais d'autres plus visibles, près de mon genou droit, que j'espère qu'Ariel, dans l'énervement, ne verra pas. La robe, pourtant censée avoir été retouchée spécialement pour moi, ne semble pas vouloir traverser mes hanches — et ce, même si, cette fois, j'ai préalablement descendu la fermeture éclair.

— Je crois que j'ai ta robe, Maude, elle est beaucoup trop courte pour moi, dit alors Jasmine, ma voisine de cabine.

— T'es donc bien mince! lui réponds-je en enlevant la robe et la lui glissant sous la cloison mitoyenne.

Jasmine me remet celle qui est à ma taille et je l'enfile aussitôt avec autant d'aisance qu'il est possible d'en avoir dans des toilettes publiques. Je regarde les souliers à talons hauts pendant quelques secondes avant d'oser y glisser mes pieds. Dès que je me tiens debout dans ces objets de torture, je lance à voix haute:

— Je déteste Ariel!

Puis je sors de la cabine pour découvrir le résultat final dans le miroir taché de savon, de traces de doigts et de poussière. Comme je m'y attendais, mes sœurs et moi ressemblons à une roseraie ; lorsque nous sommes séparées, la couleur discutable et les ornements hideux semblent un peu moins choquants, mais lorsque nous nous tenons les unes à côté des autres, le tableau est désolant. Il n'y a aucun doute, les discussions des convives ne tourneront pas autour de notre beauté, mais il m'est impossible de garantir qu'ils ne clabauderont pas toute la soirée sur le ridicule de nos tenues, parce que, honnêtement, si je voyais des demoiselles d'honneur attriquées de la sorte, je ne pourrais qu'en rire.

Une fois que nous avons constaté le grotesque de notre allure, nous n'avons plus rien à faire dans cette pièce sanitaire aux odeurs de désinfectant. Nous rassemblons nos affaires et nous empressons d'aller les remettre à la réceptionniste, qui gardera nos bagages en pension pendant que nous nous ridiculiserons en public. Mes sœurs, qui se débrouillent assez bien sur des talons hauts, me devancent de quelques mètres dans la rue, alors que je tente de conserver mon équilibre pour ne pas tomber et endommager mes magnifiques atours. Je hurle à Jasmine et à Belle de m'attendre, tandis qu'elles me demandent d'accélérer la cadence : la cérémonie est sur le point de débuter. Nous chahutons ainsi jusqu'à l'église où Léo nous attend sous le porche, hystérique.

— Qu'est-ce que vous faisiez, bordel? s'indigne-t-il en nous attrapant par le bras pour nous tirer jusqu'à l'intérieur de l'édifice.

Dans le vestibule, il nous donne quelques instructions:

— Vous marchez l'une derrière l'autre jusqu'à l'avant où Maxime vous attend avec ses garçons d'honneur. Ariel vous suivra.

Puis il nous lance dans la gueule du loup. Lorsque les deuxièmes portes s'écartent, les regards de plus d'une centaine de personnes (peut-être même deux cents) se tournent vers nous, et la marche nuptiale débute alors, sans autre préambule. J'ouvre le défilé — comme convenu — et tente de feindre que nous nous tenions, excitées, derrière cette porte depuis plusieurs minutes, attendant impatiemment le signal. Chacun de mes pas est calculé et réfléchi, je n'ai aucune intention de m'effondrer pitoyablement sur le sol ni de risquer un carambolage de demoiselles d'honneur et l'exaspération d'une jeune mariée qui ne veut, en aucun cas, que des maladresses juvéniles viennent gâcher ses épousailles.

Nous arrivons à l'emplacement spécifié par Léo et nous postons devant le marié — visiblement tendu (qui ne le serait pas avant d'épouser ma sœur?) — et ses garçons d'honneur.

Jasmine, Belle et moi nous retournons vers l'entrée, pour voir la Sirène remonter l'allée. Ariel, comme nous nous y attendions, est magnifique, plus belle que ces mannequins qui figurent sur la couverture des magazines de mariage.

Je sens soudain que Belle, à droite, attrape ma main. Elle serre fort mes doigts comme si elle se retenait de frapper quelqu'un ou de crier. C'est seulement lorsque Jasmine laisse échapper une clameur gutturale que je comprends le geste paniqué de la Bête et remarque qui escorte ma sœur.

— Papa..., murmure-t-elle.

Même dans les pires scénarios que j'avais imaginés, jamais je n'aurais pu envisager telle infamie. Ariel est certes une personne égoïste et imprévisible, mais cette traîtrise dépasse toutes les autres. C'est, de loin, la pire chose qu'elle aurait pu nous faire vivre — à nous, ses sœurs — en cette journée qui est la sienne. Vous trouverez peut-être que j'exagère, que c'est légitime qu'une jeune femme souhaite que son père l'accompagne jusqu'à l'autel le jour de son mariage, et peut-être aurez-vous raison, mais que cette même jeune femme décide d'inviter l'homme qui l'a abandonnée — elle, mais aussi les siens — il y a plus de dix ans sans prévenir personne de son coup fourré, c'est au-delà du simple égoïsme, c'est de la perfidie, du machiavélisme impardonnable.

Je pense immédiatement à ma mère. Elle se tient dans la première rangée, le regard baissé, honteuse. Elle savait. Ma mère connaissait les intentions malveillantes de la Sirène et ne nous a rien dit. Elle a participé à ce sordide complot. Elle fait bien de baisser les yeux ; elle ne pourrait soutenir la haine qui baigne mon regard. En temps normal, j'aurais hurlé, si fort que les murs auraient tremblé, si fort que l'on m'aurait instantanément bannie de l'Église catholique. Mais, étrangement, je suis stoïque. La colère qui bout en moi ne peut pas être extériorisée par des cris, même la fuite serait trop facile. Jasmine, Belle et moi nous tenons la main, comme si nous nous retenions mutuellement d'estropier la traîtresse vêtue de blanc. La scène se passe au ralenti, comme dans les films — des séquences sanguinaires de *Kill Bill* me viennent soudain à l'esprit. De derrière son voile, la mariée ose nous toiser, nous menacer, nous implorer du regard d'agir justement.

Notre père, lui, semble penaud. Il fixe ses pieds comme si notre regard pouvait le foudroyer (peut-être le peut-il). J'aperçois des gens qui marmonnent, je peux même voir la rumeur se répandre dans l'assistance, laquelle, bien que perplexe, comprend le drame familial qui se joue sous ses yeux.

Les garçons d'honneur sont confus, ne comprenant pas la raison de cette tension générale inopinée. Maxime leur parle à l'oreille, leur expliquant probablement que son adorable fiancée a omis de mentionner à ses sœurs qu'elle avait demandé à son père — qu'elle et ses bonasses de frangines n'avaient pas vu depuis onze ans — de l'accompagner jusqu'à l'autel. Les trois jeunes hommes nous adressent une moue compatissante lorsque le futur époux termine son récit. Nous ne voulons pas de la pitié de deux Italiens et d'un *douchebag*, c'est humiliant.

Quand l'ignoble personnage qui nous a donné la vie quitte le bras de la Sirène, il se hasarde à poser ses yeux verts sur nous, avant de prendre sa place parmi les fidèles. Il n'a droit qu'à rancœur et accusation. La haine qui nous anime est palpable et puissante. Même le prêtre attend quelques instants avant d'entamer son discours, craignant sûrement que nous ne quittions l'endroit dans un raz de marée perturbateur.

Mais nous n'en faisons rien. Dans l'étonnement général, nous sommes inébranlables. Peut-être même que la Sirène, friande de sensationnalisme, s'attendait à ce que nous libérions le plancher, laissant derrière nous un souvenir inaltérable de son mariage dans la mémoire collective, mais nous ne lui ferons pas ce plaisir. Nous resterons debout, ici, devant tous ces gens, jusqu'à ce que la cérémonie soit terminée, nous ferons ce que nous lui avons promis. Cependant, ce revirement marque la fin d'un cycle. Jamais plus nous ne pourrons faire confiance à cette femme qui aujourd'hui se cache derrière la solennité du moment. Je la hais comme jamais je ne l'ai haïe.

Le célébrant commence son discours officiel :

— Nous sommes aujourd'hui rassemblés pour unir par les liens sacrés du mariage Ariel L'Espérance et Maxime Demers.

Le reste de l'allocution n'est plus qu'écho. J'essaie de remettre mes idées en place. Que vient-il de se passer, au juste ?

Les larmes qui perlent sur le visage de Jasmine me rappellent l'insensibilité de mon autre sœur. Grâce à un fixatif qui permet au maquillage de résister aux éléments : eau, air, terre, feu (ok, peut-être pas le feu), la princesse arabe ressemble à l'une de ces poupées qui rechignent d'une voix mécanique et dont les yeux crachent de l'eau pour simuler des pleurs. Visiblement, elle tente de contenir sa détresse, pour ne pas attirer davantage l'attention et pour éviter que l'on ne nous surnomme les « pleureuses d'honneur ». Après Ariel, Jasmine est celle qui a le mieux connu notre père. Elle avait douze ans quand il a quitté le foyer familial pour refaire sa vie au Mexique avec une morue qui avait la moitié de son âge. Moi, je n'avais que quatre ans. J'étais encore une gamine, mais je me souviens de la journée de son départ, quand il a claqué la porte et, sans se retourner, a abandonné ma mère avec trois préadolescentes et une enfant qui faisait encore pipi au lit. Les bons souvenirs avec mon père sont si peu nombreux que je n'ai pour lui que du mépris.

Le spectacle est certainement des plus loufoques : une mariée et un marié magnifiques — à la Ken et Barbie — , une demoiselle d'honneur qui pleure, l'autre qui bout de fureur et la troisième qui, encore perplexe, voudrait s'enfuir, mais est forcée de rester immobile, pour respecter le protocole et observer les règles du savoir-vivre, dictées par sa mère qu'elle considère maintenant comme une traîtresse. Les garçons d'honneur, tous trois partagés entre l'incompréhension, l'excitation et la compassion, ne laissent pas non plus leur place en tant que personnages secondaires farfelus, dans cette scène aux limites de l'absurde.

Le prêtre nous demande finalement de nous asseoir légèrement à l'écart, là où nous ne serons plus épiées par les nombreux convives d'Ariel. Lorsque nous avons rejoint nos sièges, juchés sur une plateforme, Sylvie passe devant nous, timide, pour se rendre au lutrin et baragouiner quelque chose sur la beauté du mariage d'Ariel et lire une prière de la Bible qu'elle a sélectionnée.

— Il y a à peine deux mois, nous étions, mes quatre filles et moi, dans une église semblable à celle-ci pour commémorer la mort de ma mère, de leur grand-mère. Aujourd'hui, un jour bien plus heureux, l'une de mes princesses épouse son prince charmant, déclare Sylvie face à une foule attentive, compatissant à sa récente perte.

Si elle était ici, Gilette serait outrée de voir cet ignoble personnage refaire son entrée dans notre vie de si insidieuse façon. Elle entretenait une haine viscérale pour cet homme qui avait abandonné, sans préavis, sa fille et ses petites-filles alors que ces dernières avaient à peine l'âge de comprendre « pourquoi papa est parti ». Elle, elle aurait probablement hurlé jusqu'à faire éclater les vitraux de l'église, sur lesquels les représentations retracent la vie de Jésus, de sa naissance à sa résurrection (j'ai d'ailleurs toujours trouvé que se marier dans un endroit décoré par des images d'un homme à moitié nu cloué sur une croix, agonisant, n'était pas des plus festif). Gilette n'aurait pas été impassible comme nous le sommes. Elle aurait sans doute engueulé la mariée devant cette foule immense, lui reprochant son manque de tact et son égoïsme. Elle aurait pris mon père par la main pour le conduire à l'extérieur du bâtiment en lui ordonnant de ne plus jamais s'approcher de nous, avant de lui flanquer du coup de pied au derrière (oui, elle était ce type de personne : brusque et despotique). Notre mère nous a d'ailleurs déjà confié que Gilette n'avait jamais vraiment aimé notre père. Qu'elle l'acceptait, qu'elle faisait semblant de l'apprécier pour la forme, mais que le jour où il a quitté le foyer, elle était particulièrement fière de déclarer qu'elle avait eu raison de se méfier (elle a quand même sûrement attendu quelques jours avant de remémorer ses prédictions à ma mère, mais, la connaissant, je suis convaincue qu'elle l'a fait avec une fierté démesurée).

Sylvie, tremblante, commence à lire un passage de la première lettre de l'apôtre saint Paul aux Corinthiens :

— « L'amour prend patience, l'amour rend service, l'amour ne jalouse pas, il ne se vante pas, ne se gonfle pas d'orgueil, il ne fait rien de malhonnête, il ne cherche pas son intérêt, il ne s'emporte pas, il n'entretient pas de rancune, il ne se réjouit pas de ce qui est mal, mais il trouve la joie dans ce qui est vrai. »

Ces paroles saintes semblent hypocrites dans la bouche de celle qui a permis à son aînée de trahir ses jeunes sœurs. Ariel jalouse, se vante, se gonfle d'orgueil, est malhonnête, cherche son intérêt, s'emporte, se réjouit de ce qui est mal, et nous entretiendrons une grande rancune envers elle. En fin de compte, il s'agit manifestement du pire choix de texte que ma mère ait pu faire. Peut-être l'a-t-elle préféré aux autres justement pour son invraisemblance, pour nous prouver que l'amour est plus fort que nos ressentiments, qu'il trouve la joie dans ce qui est vrai — par-delà la rancœur.

Mais, outrées, nous n'y voyons qu'énormité et paradoxe.

De mon piédestal — pendant que le prêtre ânonne des banalités sur le Dieu Amour — , je cherche des yeux ce père que j'ai à peine connu, parmi les pseudofidèles. Lorsque je le repère, je suis forcée de constater que je ne le reconnais pas. Son visage ne correspond pas à celui de mes souvenirs d'enfant. L'homme, cinquantenaire aux cheveux gris, à la peau cuivrée et aux lèvres charnues, n'est qu'un étranger à mes yeux. J'aurais pu le croiser dans la rue, jamais je n'aurais songé qu'il pouvait s'agir de mon père. Sans la mémoire plus limpide de mes sœurs, sans leur douleur plus fraîche, je n'aurais pas saisi la trahison d'Ariel. Mon père (des nausées me montent à la gorge juste à penser qu'il n'est qu'à quelques mètres de moi) est accompagné par une femme dans la mi-trentaine, délicate et magnifique dans une robe bustier de couleur crème. Le fait qu'il ait osé emmener sa greluche (présumons que c'est la même femme que celle avec qui il est parti il y a onze ans) prouve qu'il n'a pas changé et ne compte pas réparer les pots cassés. Ce n'est pas un crétin, il doit bien être conscient que traîner sa maîtresse de l'époque avec lui au mariage de sa fille, en présence de son ex-femme, n'était peut-être pas un choix judicieux, mais il l'a tout de même fait. Peut-être l'égoïsme d'Ariel provient-il de notre père ; peut-être que toutes ces années nous lui avons reproché une chose qui n'était que génétique, qu'intrinsèque. Évidemment, l'égoïsme n'est pas une maladie, c'est un choix, un défaut, mais peut-être que le défaut est parfois si profondément ancré depuis des générations dans l'ADN que son légataire finit par n'être qu'une victime. Je ne suis probablement pas atteinte de ce gène d'indifférence, puisque je suis là à tenter d'excuser Ariel pour un geste en apparence impardonnable, à peine quelques minutes après qu'elle l'a fait.

Tant de pensés contradictoires se bousculent dans ma tête que j'en oublie où je suis et pourquoi j'y suis. Le fait que ma sœur épouse mon narcissique professeur stagiaire d'éducation physique est désormais d'une banalité sans borne. Peu m'importe qui elle épouse, tant qu'elle ne m'oblige pas à affronter mon passé devant des centaines de personnes ; oups, c'est ce qu'elle a fait.

Le célébrant annonce maintenant que nous en sommes à l'échange des vœux. Il nous invite à nous relever pour reprendre notre place aux côtés de la mariée. La Sirène ne nous regarde pas, elle fixe son époux, recevant certainement sans broncher les milliards de flèches empoisonnées que nous lui lançons du regard. Elle récite un texte qu'elle a appris par cœur pour l'occasion (on pourrait croire qu'elle l'a composé elle-même, mais j'ai des doutes) :

— Quand je t'ai rencontré, j'ai su immédiatement que tu étais l'homme de ma vie. C'est une chose que l'on ressent lorsque l'on rencontre la bonne personne, comme une injection d'adrénaline, un pressentiment shooté aux narcotiques. Bien des hommes sont passés dans mon lit…

Dieu est sans doute découragé qu'une femme ose dire de telles choses dans sa maison, mais il semble bien qu'il n'existe aucune barrière qu'Ariel ne se permette de franchir aujourd'hui.

— … mais personne ne me comblait totalement. Je n'avais jamais aimé avant toi, je l'ai compris il n'y a pas si longtemps. Tu m'as échappé une fois et je ne laisserai personne, pas même la vie, te reprendre à nouveau.

Suis-je la seule à voir là un double sens psychopathe ?

— Je te promets de t'aimer jusque dans la mort, de t'épauler dans les moments plus difficiles et de t'accompagner dans les plus heureux. Je ne pensais pas me marier un jour, mais le mariage devient une évidence quand on aime à ce point.

Des menottes dorées qui l'empêcheront — un temps — d'aller voir ailleurs, c'est ainsi qu'elle voit cette union devant Dieu, c'est évident…

La foule ne semble pas s'apercevoir de la perversion qui se cache derrière le texte d'Ariel. Elle paraît, au contraire, émue par les mots de la Sirène. J'imagine que c'est une question de contexte. Probablement qu'il n'y a rien — ou presque — qui puisse ne pas sonner romantique lorsqu'une femme en robe de mariée déclare son amour, devant l'autel, à l'homme de sa vie. Ariel passe l'anneau au doigt de son époux, avant qu'à son tour il n'entame son discours:

— Ma princesse.

Pendant que Maxime déclare sa flamme à sa Sirène, j'aperçois du coin de l'œil mon père qui quitte l'église sans un mot, sans un au revoir ni même un bonjour. Je donne un coup de coude à Belle pour qu'elle soit, elle aussi, témoin de la fuite du père indigne. Ses yeux deviennent embués, tout comme ceux de Jasmine, qui de toute façon n'avaient pas vraiment séché depuis le début de la cérémonie. Les trois demoiselles d'honneur ont les yeux rivés sur la grande porte qui se referme lentement, laissant disparaître leur géniteur et sa greluche. Les larmes qui perlent sur nos joues peuvent être considérées comme une manière d'exprimer notre joie, notre émotion, mais notre désintérêt évident pour les mariés est, lui, assez inconvenant. C'est seulement lorsque nous sommes persuadées que la porte ne s'ouvrira plus, qu'il a officiellement quitté l'édifice (et nos vies, une fois de plus) et ne reviendra pas, que nous redirigeons notre attention sur le couple souverain.

Le prêtre annonce alors à Maxime qu'il peut embrasser sa femme. Ce qu'il fait. Un baiser passionné, délicat, qui fait réagir les invités comme s'ils étaient témoins du but gagnant de leur équipe sportive à la partie finale d'un tournoi international. Jasmine, Belle et moi nous sentons obligées d'applaudir pour sauver les apparences, pour faire preuve d'une certaine civilité. Les cloches de l'église se mettent à sonner, un bruit grave cognant sur chacune des extrémités de la vaste nef. Un son qui me rappelle les funérailles de Gilette et qui, pour toujours, sera aussi synonyme de traîtrise et de fourberie. Ariel est officiellement mariée. Devant Dieu elle a promis d'aimer, de chérir et d'être fidèle à cet homme, qui ne semble pas concerné par la perversité de son amante.

Je ne sais plus quel grand psychologue ou psychiatre soutenait qu'une femme recherche continuellement son père dans chacune de ses relations. Peut-être est-ce vrai dans le cas d'Ariel, parce que ce Maxime ne semble guère être une meilleure personne que l'homme qui se tenait devant nous il y a quelques minutes et n'a pas même osé nous regarder dans les yeux. Qui sait, peut-être qu'il acceptera d'appeler ses enfants

Lilo, Némo ou Raiponce pour plaire à sa femme — légèrement cinglée — sur qui il n'a aucune autorité, mais qu'il quittera un jour de mai, épuisé d'être gouverné par une mégère dont les exigences l'empêcheront de se mirer dans l'eau du ruisseau. Oui, je suis parfaitement consciente que je fais de la projection, mais il semble que coller à Ariel un destin similaire à celui qu'a subi ma mère m'apporte une certaine satisfaction, après la bassesse à laquelle nous avons eu droit aujourd'hui de sa part.

La Sirène et son nouveau prince charmant arpentent l'allée jusque sur le parvis de l'église. Nous les suivons, une rose rouge à la main (comme si la robe et les fleurs de plastique qui décorent notre coiffure n'étaient pas suffisantes), jusqu'à l'extérieur où un homme, plutôt étrange avec sa moustache de mafioso et un habit blanc, nous attend avec des cages dorées. En nous approchant, nous constatons qu'elles renferment une dizaine d'oiseaux blancs, des colombes, et que les mariés libéreront sous le regard attentif des convives. Ce type de fla-fla et d'ostentation convient parfaitement à Ariel. Elle n'en a rien à foutre des conditions dans lesquelles ce type garde ses oiseaux, que quelques originaux laissent s'envoler une vingtaine de fois par année pour commémorer leur union. La seule chose qui l'intéresse, c'est d'être vue, entendue, complimentée et de faire de bonnes photos pour être vue, entendue et complimentée encore pour des siècles et des siècles... Amen. Le monsieur moustachu sort précautionneusement un volatile de la cage et le tend à Ariel. La mariée, craignant visiblement que l'oiseau ne défèque sur sa robe valant plusieurs milliers de dollars (je me demande si elle regrette son idée de faire une envolée de colombes à la sortie de l'église ; des confettis auraient comporté moins de risques), tient l'animal le plus loin possible d'elle, comme dégoûtée. Maxime, au contraire, prend un oiseau avec assurance et l'embrasse même sur la tête, un geste que la foule semble trouver adorable (personnellement, je suis écœurée par sa constante recherche d'attention). Comble de quétainerie, l'homme grassouillet accroche aux pattes des oiseaux les vœux de mariage, inscrits sur un tout petit bout de papier. Ainsi, les colombes transporteront avec elles dans les cieux l'union nouvelle d'Ariel et de Maxime comme une promesse de lendemains heureux. Les raisons d'être de cette tradition (peut-être n'est-ce pas une tradition, mais simplement une fantaisie de princesse) me donnent des nausées, tellement elles sont stéréotypées. L'éleveur nous indique également que l'envolée de la colombe est symbole de pureté et s'avère être un porte-bonheur évocateur et puissant.

L'homme, étrangement convaincu des balivernes qu'il raconte, nous invite à nous approcher, mes sœurs et moi, ainsi que les garçons d'honneur, pour qu'à notre tour nous nous saisissions d'un oiseau. Lorsque l'éleveur s'aperçoit que Belle appréhende elle aussi que la colombe ne fasse ses besoins sur sa tenue hors de prix, il nous explique que nous n'avons rien à craindre, puisqu'elles jeûnent depuis quatre jours. Tandis que je suis personnellement outrée que ces petites bêtes doivent s'abstenir de manger et de boire pour satisfaire les extravagances de ma sœur aînée, la Bête paraît soulagée et attrape l'oiseau avec beaucoup plus d'aplomb. Jasmine n'a, heureusement, pas entendu le commentaire du dresseur, parce qu'elle se serait sans aucun doute indignée publiquement, une chose que je m'abstiendrai de faire. Il me semble que nous avons suffisamment de problèmes sur les bras aujourd'hui pour ne pas nous mettre à débattre sur les mauvais traitements que l'on inflige aux pigeons. Ce sera un débat pour une autre fois.

Le propriétaire des colombes fait signe aux mariés de laisser s'envoler leur volatile les premiers. Quelques secondes plus tard — chronométrées pour donner un effet spectaculaire — , nous relâchons à notre tour nos oiseaux affamés dans les airs. La pléiade de convives, entassés sur les marches de pierre de l'église du lac Montclair, applaudissent. J'ignore s'ils applaudissent les oiseaux ou si ce claquement de mains est une manière d'exprimer leur admiration, mais leur joie se répand jusque de l'autre côté de la rue, où quelques curieux applaudissent eux aussi l'envol des ovipares faméliques.

Je me refuse à encourager de tels procédés pernicieux. Les bras croisés, je contemple, jusqu'à ce qu'ils disparaissent dans l'infini, les oiseaux qui battent des ailes et fuient leurs cages dorées.

Presque immédiatement après, une limousine blanche se gare devant le bâtiment. Même s'il n'y a que quelques mètres à franchir entre l'église et la salle de réception, Ariel a cru bon de réserver un véhicule motorisé — et tout un — pour s'y rendre. Bien que nous soyons toutes les trois dévastées et choquées par ses précédents actes, lorsqu'elle nous propose de faire le voyage avec elle, nous sommes déchirées entre notre colère et notre envie — assez enfantine, mais profonde — de faire un tour de limousine. Comme nous avons fait, jusqu'à maintenant, tout ce que la mariée nous a demandé, nous montons dans l'immense bagnole, telles de bonnes esclaves, et poursuivons notre tâche ardue de demoiselles d'honneur sans rouspéter — ou presque. Maxime se joint à nous, malgré son malaise ; il est conscient que nous avons des comptes à régler et que cette balade en limousine est le moment idéal pour organiser nos pensées et verbaliser nos discordes. Jasmine, Belle, et moi nous assoyons donc sur les bancs de côté en cuir gris et observons, comme hypnotisées, le miroir au plafond et les lumières multicolores qui scintillent dans tous les coins. Une discothèque roulante, voilà ce qu'est ce véhicule. Les mariés sont installés sur la banquette du fond. Le chauffeur, coiffé d'une casquette, nous annonce que nous allons nous promener dans les rues adjacentes pour pouvoir profiter du véhicule plus de deux minutes.

— Alors ? C'était bien, comme cérémonie, n'est-ce pas ? ose dire Ariel.

Un long silence, au cours duquel nous la dévisageons avec malveillance, s'ensuit.

— Pourquoi tu nous as fait ça, Ariel ? souffle d'abord Jasmine, semblant ressasser sans cesse l'image de ce père sur qui elle avait fait un trait depuis de nombreuses années.

La Sirène est muette, consciente de sa faute, mais fort probablement pas de l'impact qu'elle a eu.

— Il fallait que je le fasse, les filles, rétorque-t-elle de manière presque inaudible.

— Nous tenir au courant, ça ne te tentait pas ? continue Belle, féroce et rancunière.

— Vous ne m'auriez pas laissée faire.

Ariel a raison. Jamais Jasmine et Belle ne lui auraient permis d'inviter notre père à son mariage. Elles l'auraient sans doute menacée de ne pas s'y présenter, d'abdiquer leur rôle de demoiselles d'honneur, et la Sirène n'aurait eu d'autre choix que de capituler.

— Tu n'avais pas le droit de nous faire ça. Tu ne peux même pas imaginer ce que nous avons ressenti en le voyant à ton bras dans cette église aujourd'hui, enchaîne la Bête, encore à vif.

Ariel ne répond pas. Il n'y a rien à répondre à ça. Non, elle ne peut pas comprendre, et elle ne comprendra jamais. Nous ne pourrons, nous non plus, certainement jamais comprendre son geste et ses motivations. Nous sommes quatre femmes de même sang qui boudent dans une limousine, prisonnières d'une impasse monumentale, avec un homme sans lien de parenté qui sait que le silence, doublé d'une main réconfortante sur le genou de sa dulcinée, s'avère être la meilleure approche.

Après un moment, Jasmine enchaîne :

— Et maman, elle le savait depuis longtemps ?

— Non, je le lui ai annoncé hier soir, poursuit Ariel. Évidemment, elle était sous le choc et complètement contre l'idée de ne pas vous en informer, mais je lui ai fait comprendre que c'était vraiment important pour moi et que j'avais besoin de son appui.

Ariel a toujours été habile en matière de chantage. Elle a toujours réussi à obtenir ce qu'elle désirait en touchant — parfois très sournoisement — chez les gens de son entourage quelques cordes sensibles. D'interpeller la fibre maternelle de ma mère était sûrement la meilleure façon, pour la Sirène, de lui faire accepter de telles conditions et, à vingt-quatre heures d'avis, elle n'avait d'autre choix que d'abattre son atout le plus fort. C'était Sylvie qui devait l'accompagner jusqu'à l'autel, cette personne qui l'a élevée à la sueur de son front et l'a éduquée au mieux de ses connaissances et dans le respect de ses valeurs, pas ce couillon qui a abandonné sa famille dès la première embûche (c'est peut-être moi, cette embûche, mais je ne tiens pas à m'en assurer). Nous avons dû faire face à des souvenirs pénibles en revoyant ce traître personnage cet après-midi, mais ce n'est rien en comparaison de ce que ma mère a dû subir comme traumatisme. Nous étions toutes trois contrariées par ses cachotteries, mais elle a été manipulée par la Sirène ; elle ne méritait pas notre animosité.

Il n'y a bientôt que le bruit du moteur de la grosse voiture qui s'enfonce dans les nids-de-poule et celui des bouteilles qui s'entrechoquent dans le minibar pour accompagner notre mutisme.

— Voulez-vous savoir ce qu'il fait maintenant, où il habite, comment il se porte ? lance alors Ariel, comme pour protéger sa bonne conscience.

Jasmine et Belle répondent presque simultanément :

— Non.

Il n'y a là aucune place à la discussion. On sent qu'Ariel aurait voulu leur demander pourquoi elles sont si aigries face à notre père, mais elle connaît déjà la réponse. Et il semblerait que l'excuse de « oui, mais ça fait longtemps » ne sera pas suffisante pour les convaincre de reprendre contact avec ce salaud, ni même de prendre de ses nouvelles.

— Maude, tu ne parles pas ? me demande alors Ariel, espérant probablement que je l'appuie d'une façon ou d'une autre.

— Je n'ai rien à dire. Tu avais tes raisons de l'inviter, nous avons nos raisons de t'en vouloir. Je ne crois pas que nous réglerons ce débat ce soir, dis-je finalement, pesant mes mots.

— Mais je ne veux pas que ça chamboule mon mariage, ni que vous soyez tristes et mélancoliques pour le reste de la soirée.

— Ça, la Sirène, il fallait que tu y penses avant d'orchestrer des retrouvailles avec notre père sans nous en parler, conclut Belle en sortant de la limousine, qui vient de s'arrêter devant l'hôtel.

Jasmine, Belle et moi convenons tout de même de faire de notre mieux pour agir proprement devant la galerie, de jouer notre rôle de demoiselle d'honneur avec autant de décorum que notre rancune nous le permet.

Dès notre descente de la charrette de luxe, Léo nous attrape par la main et nous explique comment nous procéderons pour entrer dans la salle (désormais, nous ne pouvons plus entrer dans une pièce sans procédure...). Chacune de nous doit choisir un partenaire parmi les trois garçons d'honneur — le *douchebag*, le frère soumis ou le Ninja Turtle — et suivre les mariés bras dessus bras dessous avec, de préférence, un sourire aux lèvres, pour donner l'illusion que nous nous plaisons à jouer les subordonnées d'Ariel. Belle accapare immédiatement le *douchebag* — comme la Sirène, elle a toujours eu un faible pour les hommes musclés qui arborent le col en V (que celui-ci portait d'ailleurs fièrement à la répétition) et parlent d'eux-mêmes à la troisième personne — , alors que Jasmine jette son dévolu sur le servile amoureux — certainement pour se venger de la réaction surprotectrice de sa copine à la répétition. Je suis donc prise avec la Tortue Ninja. Donatello s'approche de moi, prend mon bras et me glisse à l'oreille, d'une voix à la fois galante et moqueuse :

— Me feriez-vous l'honneur de m'accorder cette entrée, très chère ?

— Mais bien sûr, dis-je sur le même ton.

Comme nous sommes les plus jeunes et les plus petits, on nous place au premier rang, derrière les mariés. Quand la porte de la salle de réception s'ouvre, les invités forment une haie d'honneur et lancent des pétales de roses en l'air pour accompagner notre venue. Un violoniste, installé sur la scène centrale, joue des airs classiques qui me rappellent ceux qu'écoutait ma grand-maman le dimanche après-midi en buvant son thé Earl Grey. Lorsque nous avons rempli notre fonction — du moins pour le moment — Léo vient nous rejoindre pour nous indiquer nos places. Une table est réservée pour nous six. Nous ne sommes pas à la table d'honneur, puisqu'elle compte déjà trop de convives — ma mère et plusieurs membres de la famille de Maxime —, mais elle est juste à côté de la nôtre, pour que nous soyons aux aguets si jamais la mariée a besoin de notre soutien... ou de quelqu'un sur qui se défouler. Comme des jeannettes, nous nous devons d'être toujours prêtes ! Je m'assois sur ma chaise décorée d'un drap blanc, et pousse un soupir de découragement.

— Dure journée ? s'enquiert Donatello, qui a dû assister au tumulte des dernières heures, impuissant.

— Bienvenue chez les L'Espérance, déclaré-je, un peu embarrassée que cet inconnu (mignon, qui plus est) ait été témoin de nos emmerdements familiaux.

— Essaies-tu de dire que mon cousin est dans la merde ? continue l'Italien avec son délicieux accent enjôleur.

— Comme tu n'as pas idée, mentionné-je avant que mes sœurs et l'un de leurs cavaliers ne prennent place à nos côtés.

— Alors, avez-vous préparé un speech émouvant qui fera pleurer tout le monde, ou avez-vous opté pour l'humour comme nous ? s'informe Benoît, le *douche*, en faisant signe à la serveuse de venir emplir son verre de vin rouge.

— Un mélange des deux, j'imagine, répond Jasmine qui cherche son cavalier des yeux.

Elle l'aperçoit finalement aux pieds de sa maîtresse, qui porte un élégant décolleté plongeant pour rappeler à son toutou ce qui est important, et surtout qui l'est. L'attitude de la copine de Cédric ne semble qu'encourager Jasmine à affiner ses techniques de séduction.

L'animateur de la soirée, un grand blond frisé qui s'appelle Charles et a une voix de crooner, demande aux invités de s'asseoir et annonce que l'entrée sera bientôt servie. Le menu nous indique que nous dégusterons d'abord un velouté de topinambour au foie gras poêlé. Il n'y a pas à dire, on est loin de la soupe poulet et nouilles des rôtisseries St-Hubert.

La salle dans laquelle nous nous trouvons crie le luxe et le raffinement. Au plafond cathédrale sont suspendus des lustres de cristal. Une quantité impressionnante de tables couvertes de nappes couleur neige recouvrent le plancher de bois franc, que les chaises de style impérial enveloppées d'un tissu blanc immaculé grafignent à chaque mouvement des convives. Une scène circulaire — elle aussi peinte en blanc — a été posée au milieu de la pièce et orne l'endroit comme le ferait un centre de table. Des platines de DJ dorment patiemment dans un coin — elles animeront la foule plus tard — et les serveurs vêtus d'uniformes noirs s'activent dans tous les coins pour répondre aux moindres caprices des invités d'Ariel et de Maxime.

— Hé! Nos noms sont écrits là-dessus, fait le *douche* en nous montrant une petite plaque dorée posée derrière son assiette, et sur laquelle il est gravé « Benoît Després ».

Comme nous n'avions pas remarqué ces plaquettes avant de nous installer, plusieurs — dont moi — ne sont pas assis où ils le devraient. Mais, plutôt que de jouer à la chaise musicale, nous échangeons les plaquettes en prenant bien soin de ne pas attirer l'attention de la Sirène et de son nouvel époux; si elle réalisait que nous en sommes à défaire son plan de salle, elle paniquerait.

— C'est de l'or, précise Jasmine.

— Quoi ? lance Belle.

— « Nous vous offrons cette plaquette commémorative en souvenir de notre mariage. Elle est faite d'or quatorze carats », poursuit la princesse arabe, lisant la mention imprimée au bas du menu, fait de carton plastifié.

Nous prenons tous notre mini-lingot d'or dans nos mains, comme subjugués à la fois par l'inutilité et par la valeur de l'objet.

— Donc, plus ton nom est long, plus tu es riche ? enchaîne Donatello DeFelice.

— Celui qui s'appelle Simon-Olivier Drolet-Crochetière est pour la première fois de sa vie fier de son prénom *et* de son nom composés, renchérit Jasmine.

Cette attention ne m'étonne pas de la part d'Ariel. La plupart des gens qui se marient donnent à leurs invités un chocolat fin ou un caramel, mais Ariel se devait de faire mieux et plus que les autres. Offrir de l'or à ses invités, c'est probablement le summum à ses yeux. On entend, un peu partout, l'étonnement des convives qui réalisent progressivement la valeur de leur plaque.

Ariel, assise à la table d'honneur, se contente d'observer leur enthousiasme sans y prendre part. Elle semble si fière d'étaler sur la place publique l'ampleur de sa fortune — ou plutôt de celle de sa belle-famille. La Sirène aime qu'on la considère comme quelqu'un de nanti. Elle achète des robes BCBG, porte un sac à main Michael Kors (s'assurant que les autres remarquent le logo) et des souliers Jimmy Choo, mais habitait, encore hier, chez sa mère, incapable d'assumer le montant d'un loyer et les dépenses qui viennent avec (électricité, câble, épicerie, téléphone). Je ne serais pas étonnée que donner de l'or à ses invités lors de son mariage ait été l'un de ses fantasmes depuis qu'elle a l'âge de connaître la signification de l'argent.

Il y avait longtemps que je n'avais pas vu la Sirène si sereine et heureuse. Les yeux brillants et le cœur léger, elle contemple l'épatement de ses proches face à un petit objet scintillant (certains cherchant, sur leur téléphone intelligent, combien le leur pourrait valoir) et croit sans doute — très naïvement — que ce geste constitue la preuve qu'elle a réussi sa vie.

La frénésie diminue progressivement avec l'arrivée de l'entrée, servie par des professionnels aux gants blancs. J'apprends, en même temps que mes sœurs, que le topinambour est brun. Donatello, semblant s'y connaître en nourriture « exotique », nous explique — après avoir lu l'ignorance sur nos visages dégoûtés — que le topinambour est une plante dont on consomme la racine. Nous n'avons, par contre, pas besoin de Donatello pour comprendre que les morceaux qui flottent dans le potage sont du foie gras. Je plonge ma cuillère dans le velouté et risque une bouchée. Alors que je croyais devoir avaler de peine et de misère le mélange, je suis immédiatement surprise par son goût délectable. Un goût qui s'approche de celui de l'artichaut.

Tout le monde semble apprécier l'entrée. Ben le *douche* en est déjà à son troisième verre de vin et ne cesse de dire des insanités (pas nécessairement vulgaires, seulement insignifiantes). Il nous affirme qu'il est calé en histoire et qu'il a même, au cégep, dû corriger son professeur d'histoire des États-Unis devant toute la classe parce que celui-ci avait confondu les dates de la guerre de Sécession et celles de la Première Guerre mondiale. Il nous raconte aussi de façon très élaborée comment il en est venu à vendre des voitures chez un concessionnaire BMW (je vous épargne les détails ; c'est d'une platitude sans nom). Quand il entame son quatrième verre de vin et que les serveurs s'affairent à desservir nos assiettes vides, le *douchebag* décide d'aller trop loin.

— Alors comme ça, les filles, vous ne vouliez pas voir votre père se pointer au mariage de votre sœur ?

Jasmine, Belle et moi nous regardons, comme pour nous encourager mutuellement à contenir notre rage.

— Je m'excuse, Benoît, mais ça, ce n'est pas de tes affaires, dit Belle.

— Oh! On est rapidement froissées, les fillettes!

Mes doigts se referment dans mes paumes et je me concentre pour ne pas abîmer son beau visage, qu'il doit enduire chaque jour d'une crème de jour et d'une crème de nuit.

— Non, mais, Maude, poursuit-il en se retournant vers moi, ça ne doit pas être si pire que ça pour toi, tu ne l'as presque pas connu.

Comme je ne suis qu'à quelques mots du coup de poing et des cris — qui changeraient probablement l'atmosphère bourgeoise qui règne ici —, je décide de quitter la table en m'excusant auprès des autres convives.

Comment peut-on être con à ce point? J'espère que c'est l'alcool qui le rend si imbécile et inconscient. Mais je ne serais pas surprise qu'il s'agisse de son état naturel; ce gars, après tout, est le meilleur ami depuis une éternité du mari de ma sœur, cet énergumène bronzé et musculeux, qui est officiellement mon beau-frère depuis quelques heures.

Je marche un moment dans les couloirs du Château Bon Séjour pour finalement me retrouver dans une spacieuse salle vitrée et surchauffée qui abrite une immense piscine. L'odeur de chlore me réconforte. J'enlève mes bas de nylon et les lance dans un coin avec mes souliers à talons hauts qui s'acharnent à façonner des ampoules sur mes orteils depuis le début de l'après-midi. Tremper mes pieds nus dans l'eau chaude de la piscine m'offre une jouissance inégalée.

Je repense à ce père qui a refait une brève apparition — pour le moins inattendue — dans ma vie. Devrais-je, en effet, être moins affectée que les autres par son retour ? Est-ce que l'enivré a raison ? Je ne l'ai pas spontanément reconnu, certes, mais c'est mon père à moi aussi.

Je reste là pendant plusieurs minutes — je ne sais exactement combien —, à regarder l'eau se mouvoir sous le mouvement de mes pieds et à tenter d'éclaircir mes sentiments face à ce survenant que je considérais depuis tant d'années comme mort. C'est l'écho de la porte qui grince en s'ouvrant qui me sort de mes pensées. Je vois alors apparaître Donatello, deux assiettes à la main.

— Je ne voulais pas que tu rates ce délicieux foie de veau aux pommes, dit-il en s'approchant de moi, portant les entrailles d'un jeune bovin.

J'affiche une face dégoûtée quand il me présente mon assiette.

— C'est quoi, cette obsession pour le foie ? fais-je en examinant le morceau de viande. Est-ce que c'est ton cousin qui met des idées insensées dans la tête de ma sœur ?

— Je ne suis pas responsable des gestes de mon cousin québécois, surtout pas de ses goûts alimentaires ! continue Donatello.

Il dépose les assiettes sur une table de patio près de la piscine, enlève ses souliers et ses bas, et plonge à son tour ses pieds dans l'eau.

— C'est vraiment un connard, le pote de Maxime. Je ne l'ai jamais vraiment aimé, lance-t-il, probablement pour cautionner ma fuite.

Je ne réponds pas à son commentaire ; j'y vais plutôt d'une question complètement hors contexte :

— Tu es conscient que ton nom est celui d'une Tortue Ninja.

Le pauvre Donatello s'avère légèrement pris de court par ma question inusitée, mais riposte avec une explication qu'il semble avoir l'habitude d'énoncer :

— Les Ninjas Turtles ont été baptisés en l'honneur de peintres de la Renaissance. Donatello est le pseudonyme de Donato di Niccolò di Betto Bardi.

Comment le nom d'une personne peut-il sonner si séduisant en italien ?

— J'ai eu droit au plus moche des quatre, continue-t-il. Michel-Ange, Léonard de Vinci, Raffaello Sanzio… L'autre, personne ne le connaît. On m'a donné son nom. Par contre, c'est davantage en l'honneur de mon arrière-grand-père que je m'appelle comme ça.

— Moi, j'ai été chanceuse. Ma mère a décidé de me prénommer en l'honneur de Maude de Galles et de ne pas s'inspirer, pour une fois, des personnages de Disney.

— Oui, j'avais remarqué que vous aussi aviez eu la chance de tomber sur des parents qui s'inspiraient de « personnalités » populaires.

— Je souhaite vraiment que tu n'aies pas des parents comme les miens. C'est lourd !

Donatello attend un moment avant de poser une question qu'il sait délicate.

— Quel âge avais-tu quand ton père est parti ?

Des images d'un homme quarantenaire se tenant, le dos courbé, dans l'embrasure de la porte, regardant sa progéniture comme un fardeau, un certain après-midi de mai, remontent à ma mémoire. J'avais quatre ans, un âge dont nous gardons généralement peu de souvenirs, sauf peut-être les plus douloureux, comme celui-ci. Ariel pleurait, implorant mon père de ne pas l'abandonner et Jasmine me tenait par les épaules, impassible. Je ne me souviens plus de ce que Belle faisait (ça fait tout de même onze ans, donnez-moi une chance). Sylvie hurlait et, je crois, lançait des objets cassants à la tête de mon père (à moins que ce ne soit le temps qui ait déformé ma perception). Cette scène est inscrite dans mon cerveau comme un portrait, comme un tableau horrible accroché au mur qu'on est forcé de voir chaque jour et qu'on ne peut pas enlever parce que c'est l'œuvre d'un membre de la famille. J'étais triste ce jour-là, mais davantage parce que mes sœurs et ma mère étaient tristes que parce que mon père était sur le point de nous abandonner. J'étais encore naïve à ce moment-là. Cet événement m'a peut-être empêchée de le rester bien longtemps par la suite, mais, à ce moment précis, je l'étais encore.

— J'avais quatre ans, réponds-je finalement après avoir ressassé ces souvenirs toxiques.

— Et tu n'as jamais eu envie de le revoir ? s'enquiert Donatello, semblant véritablement intrigué par cette petite Québécoise élevée uniquement par sa mère — et ses sœurs mongoles.

Est-ce que j'ai déjà eu envie de le revoir ? Le coffret de métal que j'ai caché au fond de ma penderie avec mes bricolages de maternelle et quelques tentatives peu fructueuses de *scrapbooking*, et qui contient des photographies de lui et des cadeaux qu'il m'a offerts, pourrait laisser croire que oui, mais je n'en suis pas certaine. J'aurais aimé avoir un père, un vrai, une personne à part entière qui installe des flamants roses sur le terrain de la maison le jour de ma fête pour me surprendre, ou qui menace mon premier petit ami en lui disant : « Si tu fais du mal à ma fille, tu vas avoir affaire à moi ! » Mais revoir cet être méprisable qui a abandonné les personnes qui auraient dû être les plus importantes à ses yeux sans plus de cérémonie qu'un au revoir, un jour de mai, dans un cadre de porte, ne mérite pas mes regrets.

— Non, finis-je par confier à la Tortue Ninja. Et je n'avais certainement pas besoin qu'il fasse une apparition si imprévue devant une foule si énorme, à un moment où je ne pouvais pas vraiment me sauver.

— Tu es forte ! Je ne crois pas que j'aurais pu rester ainsi immobile en voyant apparaître mon père que je n'avais pas vu depuis ma petite enfance.

Forte, moi ? Nous sommes davantage sottes que fortes, je crois. Sans la main de Belle qui tenait la mienne, sans l'aide de mes sœurs, j'aurais probablement crié, comme je le fais généralement dans ce genre de situation, et claqué la porte de l'église dans une fièvre sauvage, laissant voir à tous mon désarroi et ma souffrance.

— Merci.

C'est la seule chose que je trouve à dire à cet étranger qui ne pourrait pas comprendre, même si je les lui expliquais, les raisons qui m'ont poussée à agir avec diplomatie.

— On se baigne ? me lance alors Donatello avec un sérieux inquiétant.

— Pas question, lui réponds-je après avoir envisagé ce que la chose pourrait signifier.

Je ne me baignerai pas en sous-vêtements dans une piscine publique au mariage de ma sœur, et même si la crise de nerfs qu'elle piquerait serait amusante, je ne me mouillerai pas non plus la robe à cinq cents dollars qu'elle m'a offerte.

— Vas-tu me juger si moi j'y vais? me demande-t-il en déboutonnant sa chemise.

Un peu timide, je lui réponds qu'il fait bien ce qu'il veut. La Tortue Ninja, qui souffre visiblement d'exhibitionnisme aigu (ce qui me force au voyeurisme; pauvre de moi!), enlève donc sa chemise, détache sa ceinture, retire son pantalon et plonge dans la piscine de l'hôtel en boxer noir. Je l'avoue, l'image n'est pas désagréable. L'Italien — au corps glabre et légèrement musclé — est très agile dans l'eau. À certains moments, j'ai même l'impression d'être figurante dans une publicité de parfum en noir et blanc, mettant en vedette un mannequin européen qui s'extirpe d'une vague dans un mouvement traînant voulant exprimer la sensualité (les liens avec le produit annoncé sont toujours assez subjectifs dans ce genre de pub).

— Tu manques quelque chose, elle est vraiment bonne! s'exclame l'impudique Donatello depuis le milieu du bassin.

Tant pis si je manque la baignade de ma vie, il n'est pas question que je mouille mes sous-vêtements (sur lesquels, qui plus est, figure Hello Kitty!) et que je détruise des heures de travail de professionnels des cheveux et du maquillage pour les beaux yeux d'un Italien presque nu.

Pendant que je contemple le spécimen italien en pleine action — à mon corps défendant ! — , Jasmine entre en trombe dans la pièce et vient briser mon moment de recueillement (un recueillement légèrement lubrique, je l'avoue).

— J'espère que je ne vous dérange pas, fait-elle, surprise de nous trouver ici, l'un d'entre nous si peu vêtu.

Le fait qu'il se baigne — et a donc une bonne raison d'être en boxer — n'aura, certes, aucune importance lorsqu'elle fera le récit de cet événement à toute la famille dans les soupers pendant le temps des fêtes ; je vois déjà la scène et j'ai envie de pleurer.

— Avoir su que se sauver légèrement offensée donnait droit à un bel Italien en bobette, j'aurais quitté la table moi aussi, ajoute Jasmine en faisant des clins d'œil déplacés à Donatello, encore tout à fait à l'aise malgré les allusions licencieuses de ma sœur.

Comprenant vite que ses remarques n'ont aucun effet sur nous (un peu sur moi, mais je ne le laisse pas paraître), Jasmine nous annonce finalement la vraie raison de sa présence :

— Ça va bientôt être l'heure des discours des demoiselles et des garçons d'honneur.

Joie !

— Alors, on se grouille les fesses, les enfants ! dit ma sœur en me lançant une serviette qu'elle prend sur une pile près de la porte.

Lorsqu'elle quitte l'endroit, un sourire coquin sur les lèvres, je me relève, dépose la serviette blanche sur le sol et fais signe au don Juan de se rhabiller.

Même sa sortie de l'eau est digne d'un film hollywoodien. Comme au ralenti, il passe une main dans ses cheveux mouillés, des gouttes d'eau perlent sur son corps bronzé et il mord ses lèvres chlorées. Donatello me demande pourquoi je le dévisage ainsi, probablement davantage pour me déstabiliser, puisqu'il semble tout à fait conscient de son charme. Ma réaction est pourtant celle qu'il espérait : bafouillage gêné et rougeur sur les joues. Il sourit, satisfait, éponge son corps frissonnant et repasse ses vêtements de soirée. Nous reprenons nos assiettes de foie de veau encore pleines et retournons dans la salle de réception, aux côtés des disciples d'Ariel et de Maxime. J'ai à peine déposé mes fesses sur la chaise que Ben le *douche* se lance dans des excuses qu'on l'a, bien évidemment, forcé à m'adresser.

— Je suis vraiment désolé pour tantôt, Maude. Des fois, je dis de la marde.

Non, vraiment ? Tu n'es pas le futur lauréat d'un prix Nobel, ni celui qui a découvert le remède contre le cancer ?

— Ce n'est pas grave, dis-je, comme obligée de me soumettre aux conventions populaires. J'ai peut-être réagi un peu fort.

Je sens qu'il aurait aimé acquiescer à mon dernier commentaire, mais se retient pour ne pas envenimer la situation (aurait-il un peu de jugement, en fin de compte ?).

L'animateur annonce qu'il est maintenant temps d'entendre les discours des demoiselles et des garçons d'honneur. Une inquiétude m'envahit soudain. M'adresser à une foule n'est pas l'activité que je préfère. Surtout que le discours qu'ont composé Jasmine et Belle (j'ai davantage été supportrice qu'une véritable collaboratrice à l'élaboration de ce texte) nécessite certains talents d'actrice que je ne suis guère persuadée de posséder.

Les trois garçons ont le privilège de débuter. Ils grimpent sur la scène, confiants, même un peu présomptueux. Ils se placent chacun à une extrémité du cercle (je sais qu'un cercle n'a pas d'extrémités ; disons à une distance raisonnable les uns des autres) pour qu'au moins un d'entre eux fasse face à un certain public. Leur allocution est hilarante. À tour de rôle, ils racontent une anecdote sur leur ami-cousin-frère dans laquelle sont démontrés son arrogance, son narcissisme, ses exigences concernant le type de femmes qu'il fréquente et ses tendances de fils à papa. Bien sûr, ils y vont également de quelques compliments, évoquant notamment son intégrité et l'estime qu'il a pour ses amis, mais les louanges ne semblent être qu'une formalité pour ces trois rigolos qui se donnent en spectacle aux dépens du marié. Ils terminent en souhaitant bonne chance à Ariel, et la remercient du soutien qu'elle accorde à ceux qui sont plus démunis intellectuellement. Une finale prévisible et facile, à mon avis, mais qui plaît visiblement à la foule, puisqu'éclatent des applaudissements vigoureux.

Comme le discours des gars a été impeccable et bien accueilli, je suis encore plus nerveuse de monter sur scène. À l'école, lorsque je dois faire des exposés oraux, je souhaite toujours passer après les moins habiles et les plus gênés, ceux qui s'enfargent dans leurs mots, qui bégaient ou qui ne quittent jamais leur carton des yeux. C'est peut-être méchant d'espérer que ceux qui me précèdent se plantent pour avoir l'air plus forte et confiante, mais c'est une perfidie que je me permets. Elle m'aide à surmonter ma frousse d'être jugée par soixante yeux adolescents, qui s'emmerdent depuis la première ligne de la première présentation. Mais, ce soir, cet espoir est rapidement anéanti par les habiletés d'orateur de Cédric, de Donatello et de Ben le *douche* (qui en parlant se permet même quelques clins d'œil complices à des demoiselles de l'assistance; pathétique).

Après avoir reçu leurs applaudissements fournis — j'ai même eu peur à un moment que le public ne se lève pour leur faire une ovation — , les trois garçons viennent se rasseoir à nos côtés, fiers comme des paons. Jasmine ose leur lancer un regard provocateur en attrapant les trois chaises qui nous serviront de décor. Je ne suis, personnellement, pas suffisamment confiante en notre numéro pour me risquer à les narguer, même d'un simple coup d'œil. La princesse arabe transporte les chaises jusqu'au centre de la scène et les dispose en triangle, dos à dos. Comme je perds toujours à roche-papier-ciseaux, j'ai droit à la place la moins convoitée, celle qui fait face à la table d'honneur.

Ariel sourit, mais son inquiétude est palpable. Elle sait à quel point elle a pu être odieuse avec nous au cours des dernières années, et elle sait aussi que cette tribune serait toute désignée si nous avions l'intention de nous venger. Et nous aurions tellement de raisons de le faire, surtout avec le coup pervers qu'elle nous a fait en invitant notre père à l'accompagner jusqu'à l'autel sans nous en informer.

Mais, malgré ce qu'elle peut s'imaginer, nous ne sommes pas malveillantes. Jamais nous n'irons jusqu'à la ridiculiser devant ses amis, les membres de sa famille et de celle de son époux. Par contre, elle aura droit à quelques pointes d'ironie bien affûtées dans ce portrait — pas toujours élogieux — brossé par ses sœurs adorées.

Belle parle la première :

— Il était une fois, dans une contrée lointaine, une reine légèrement excentrique et un roi malhonnête, qui donnèrent naissance à une enfant bien spéciale. Malgré son nom tout désigné, Ariel n'était pas équipée d'une queue de poisson, ni d'une voix angélique comme celle de son homonyme du film de Disney. Elle avait des dons bien différents, des cadeaux qui lui avaient été offerts par trois fées marraines alors que la princesse était toujours dans son berceau.

Jasmine prend alors la parole :

— La première la gratifia d'une confiance indestructible. Ariel obtiendrait tout ce qu'elle désirerait et affronterait la tête haute les obstacles que la vie mettrait sur son chemin. La seconde lui insuffla une beauté exceptionnelle. Ariel serait si magnifique que les hommes ne pourraient s'empêcher de l'admirer lorsqu'elle croiserait leur chemin. Elle serait la femme la plus splendide de tout le royaume.

J'enchaîne :

— La troisième fée était beaucoup moins pure que ses consœurs. Plutôt que de la doter d'une qualité, comme l'avaient fait les autres, la dernière magicienne la contraignit plutôt à subir les terribles répercussions qu'auraient les offrandes des bonnes marraines. Avec la confiance venait l'aveuglement. Avec la beauté, la jalousie de ses pairs, ainsi que la peur infatigable de s'enlaidir et de n'être plus vénérée comme autrefois.

Belle reprend les rênes :— Heureusement, une quatrième fée bienfaitrice fit son apparition et parvint à mettre une restriction sur le sort de l'odieux personnage ailé : Ariel pourrait en être sauvée lorsqu'un prince de sang pur en tomberait amoureux. Pas le genre d'amour qui ne fait que passer et laisse des traces immondes et indélébiles au cœur. Le vrai grand amour, celui qui déplace des montagnes et qui ne peut berner personne.

La foule est pendue à nos lèvres. Elle écoute attentivement chacun de nos mots, craignant de louper un passage important de ce conte de fées réinventé pour notre sublime et confiante princesse Ariel. Jasmine poursuit :

— Comme prévu, Ariel grandit rapidement et sainement. Sa beauté et sa confiance lui apportaient bien des richesses et engendraient la fierté de sa mère, la reine, qui l'élevait seule. Mais, avec le temps, le sort de la troisième fée prenait de plus en plus d'ampleur, et la princesse commençait à souffrir de narcissisme et d'inconscience, s'achetant des vêtements hors de prix et enchaînant les prétendants, jamais assez bons pour elle.

La foule rigole et, moi, j'observe Ariel de peur qu'elle n'apprécie guère nos reproches détournées. Mais la Sirène semble encore amusée par notre discours, visiblement prête à encaisser les coups bas de ses sœurs. C'est de nouveau à mon tour de parler :

— Un jour, alors que la princesse ne s'y attendait plus, un prince, légèrement enivré, vint l'aborder. Elle sut dès les premiers instants qu'il changerait sa vie, qu'il était l'amour depuis toujours secrètement espéré.

Maxime regarde son épouse amoureusement, ce qui, je l'avoue, me déconcentre un peu. Notre texte est donc efficace. Je reprends :

— Comme la troisième fée avait invoqué des forces maléfiques considérablement puissantes, des embûches ont parsemé le parcours du couple. La sorcière prit les traits d'une amie de la princesse pour tenter de séduire le successeur au trône, mais l'amour qu'il portait à Ariel était plus fort que ces manœuvres diaboliques.

La Sirène semble particulièrement heureuse que l'on s'attaque à Maggie, son ancienne meilleure amie qui a tenté de lui voler Maxime il y a de cela quelques années. Elle lève même son pouce en l'air dans ma direction pour me signifier son approbation et sa satisfaction.

— Ils ont été séparés pendant un temps, mais le prince est revenu auprès de son aimée, comme propulsé par un instinct profondément ancré au creux de son âme et dans son sang royal.

Nous nous levons, et chacune notre tour nous déballons les phrases suivantes :

— Nous sommes aujourd'hui invités à leur mariage et témoins de leur amour infini. Les contes de fées se terminent toujours bien, et ce, même si une sorcière malveillante vient corrompre le héros et désarçonner l'héroïne. Il n'y a donc d'autre dénouement possible qu'une longue vie heureuse et de nombreux enfants.

Nous nous prenons par la main et crions en chœur :

— Vive les mariés !

Et nous saluons notre public, comme le feraient des artistes de théâtre après une représentation. Peut-être ne suis-je pas complètement impartiale, mais j'ai l'impression que les applaudissements sont encore plus musclés que ceux que nos collègues masculins ont reçus plus tôt. Et c'est un velours, je ne peux le nier (mon immense sourire m'en empêcherait de toute façon).

En retournant à notre table, nous affichons un air supérieur, comme si cette petite victoire en était une de taille. Le combat des gars contre les filles a été remporté par les demoiselles déguisées en bouquets de fleurs, et nous en sommes *très* fières.

L'animateur à la voix éraillée félicite les deux équipes (il ne faut tout de même pas que les garçons nous tiennent rigueur de notre admirable performance). Il ajoute même qu'au cours de sa carrière (que nous imaginons courte, vu son âge relativement jeune), il n'avait jamais entendu de si fabuleux speechs. Nous en sommes évidemment flattées et nous félicitons — bonnes gagnantes — les garçons d'une poignée de main sincère.

Le gâteau fait alors son entrée dans la salle. Jamais de ma vie je n'ai vu une telle pièce de pâtisserie. La hauteur de plus de six étages, le glaçage en fondant blanc avec quelques roses rouges en décoration et l'imitation d'un voile qui recouvre les différentes couches, les mariés en pâte d'amande sur le dessus, qui ressemblent en tous points aux vrais époux, tout cela constitue une autre preuve de la prospérité nouvelle de notre sœur. Tous les convives semblent, comme moi, impressionnés par la taille du dessert. On peut deviner la frayeur sur le visage des serveurs qui poussent le charriot sur lequel on a posé ce monstre. Si le chef-d'œuvre s'effondre, ils en porteront le blâme (je connais Ariel).

La Sirène nous fait signe de nous approcher pour la coupe du gâteau; un épisode des mariages que j'ai toujours trouvé franchement ridicule. Les amants tiennent la pelle à gâteau ensemble, posent pour le photographe qui immortalise ce moment absurde et tranchent l'œuvre d'art avec prudence et émotion.

Les garçons et les filles d'honneur ont droit aux premiers morceaux. Nous prenons nos assiettes décorées d'un coulis aux petits fruits et retournons nous asseoir à notre place. Le goût du gâteau est à la hauteur de sa beauté ; crème au beurre vanille et crème aux framboises, bleuets et fraises, ainsi qu'un gâteau vanille pour supporter la décadence de la crème disposée en trois couches. Les « mmmmh ! » et les « wow ! » emplissent rapidement la grande salle. Les invités sont comblés par cette injection de sucre dans leurs veines.

Nous avons à peine fini de savourer notre dessert que les premiers invités de deuxième classe (ceux qui ne sont conviés qu'à la soirée) s'entassent déjà dans les coins, attendant que nous ayons terminé et que les serveurs retirent les tables pour la danse.

Je n'aime pas particulièrement me trémousser devant des inconnus. Lorsqu'elles étaient petites, mes sœurs, comme beaucoup d'enfants, faisaient des spectacles devant les invités (c'est du moins ce qu'on m'a raconté, puisque je n'étais, à cette époque, même pas un projet dans l'esprit de mes parents). Elles dérangeaient systématiquement les adultes en grande discussion pour un intermède de petites filles en tutu qui dansent (mal) sur du

Back Street Boys ou du Britney Spears (selon l'époque). Personnellement, au même âge, j'étais plutôt celle qui restait à table avec les grands et commentait les conversations, leur rappelant à certains moments que j'étais toujours là et l'âge que j'avais. J'étais très habile et perspicace pour rappeler aux parents les choses qu'une fillette de moins de dix ans ne devrait pas entendre. Ça amusait toujours les adultes, et même mes sœurs, qui ne comprenaient pas pourquoi je ne retournais pas dans ma chambre pour jouer avec mes Barbies ou mes Polly Pocket… Tout ça pour dire que je n'ai jamais été celle qui se déhanchait, même quand j'étais petite. Peut-être qu'en vieillissant j'attraperai moi aussi cette maladie qui donne envie aux filles de s'exciter en formant un cercle sur les pistes de danse, les sacoches au centre, mais pour le moment je suis encore assez réfractaire à ce genre de pratique.

Emilia, que j'attends d'une minute à l'autre, fait par contre partie de ces jeunes femmes enivrées par la danse, et l'impression de liberté que cette activité leur procure. Elle danse devant son miroir, affinant ses *moves* et son allure, chaque fois qu'elle en a l'occasion. Elle ne l'avouera pas, bien entendu — c'est tout de même assez humiliant —, mais je l'ai déjà surprise en train de reprendre des mouvements de Jennifer Lopez. Elle m'a fait promettre de n'en parler à personne (je ne vois pas trop qui cela pourrait intéresser), mais je prends plaisir, dans l'intimité, à me moquer d'elle et de ses chorégraphies douteuses.

À peine avons-nous terminé nos pointes de gâteau que les serveurs enlèvent nos assiettes et commencent à faire de la place pour que s'entassent les valseurs et les ballerines de salon.

L'animateur, au teint légèrement plus rougeâtre que tout à l'heure (l'alcool semble couler à flots pour le jeune maître de cérémonie), demande aux convives de se réunir au fond de la salle, là où il y a plus d'espace, pour assister aux traditionnels jeu de la jarretière et lancer du bouquet. Ariel grimpe sur une chaise et relève son immense robe jusqu'à sa cuisse pour nous laisser voir une bande élastique en dentelle blanche qu'elle porte au-dessus du genou. Maxime est donc invité à se pencher devant sa nouvelle épouse pour retirer la jarretière avec ses dents. Pendant ce temps, le DJ — casquette croche, bras et cou tatoués, pantalon trop grand et dent en or — fait jouer une musique lascive. La foule encourage Max avec vigueur. Ariel paraît amusée par la tradition et apprécie sans doute les centaines de regards fixés sur sa cuisse et sur son jeune mari dévoué. Lorsque Maxime se relève finalement, le morceau de tissu dans la bouche, les convives applaudissent comme s'il s'agissait d'une réussite monumentale; la prospérité de leur couple repose fort probablement sur l'exécution de cette puérile pratique.

Charles, toujours armé de son micro et de sa gaité communicative, demande à la mariée de s'approcher de lui et aux femmes célibataires ou en couple, mais pas encore mariées, de se rassembler. La Sirène monte de nouveau sur une chaise, tourne le dos aux femelles en rut (quelle frénésie, pour attraper un bouquet de roses légèrement défraîchi dans la perspective d'un mariage prochain) et lance la gerbe de fleurs au centre du troupeau. Les femmes deviennent complètement cinglées lorsqu'il est question de remporter le bouquet, et elles sautent dans les airs avec aplomb et ambition. On leur lancerait un million de dollars qu'elles ne seraient pas plus déterminées. À l'écart, je vois Jasmine et Belle sortir elles aussi de la masse quand la folie s'empare des concurrentes. Comble de malheur, la gagnante, au bout du compte, n'est nulle autre que la copine de Cédric. Le pauvre homme semble complètement défait lorsqu'il voit apparaître sa douce, un bouquet de roses rouges à la main et vaguement ébouriffée pour cause de bagarre. Évidemment, il tente de camoufler sa terreur en faisant un sourire affectueux à sa concubine surprotectrice, mais il ne bernera pas les femmes L'Espérance qui savent reconnaître l'effroi lorsqu'elles en sont témoins. Certainement qu'Éléonore perçoit elle aussi la panique chez son homme, mais elle choisit d'en faire fi, trop excitée à l'idée d'épouser son riche italo-québécois et d'avoir droit à un mariage de l'envergure de celui d'Ariel et de Maxime.

Pendant que nous jouions à « enlève la jarretière de ta nouvelle femme » et « fais à ton tour la gaffe de te marier », les serveurs ont préparé la piste de danse. L'animateur convie donc le public à se réunir pour assister à la première danse des nouveaux mariés.

Ariel et Maxime ont suivi des cours de valse, comme tous futurs époux qui se respectent, et s'apprêtent à nous présenter le fruit de leurs efforts. Généralement, on ne s'attend pas à beaucoup de la part de jeunes amateurs, inaccoutumés aux subtilités de la danse, mais, comme nous connaissons bien notre sœur, Jasmine, Belle et moi sommes persuadées qu'elle a exigé beaucoup de son conjoint pour que ce moment soit — aussi — magique et que l'émerveillement et l'admiration du public comblent, encore une fois, la petite princesse courageuse et magnifique.

La musique commence et les époux se lancent sur la piste. Leurs mouvements sont fluides et élégants, et, comme nous l'avions prévu, ils impressionnent la horde avec grâce et adresse. Une fois qu'ils ont terminé leur démonstration de charme, le DJ fait tourner une deuxième valse pour que les convives se joignent au glorieux couple. Au départ, personne n'ose se mesurer à eux : la Sirène et son Narcisse sont vraiment habiles. Mais quand les oncles et tantes maladroits ont envahi la piste, les moins expérimentés n'ont plus de réserves. Je regarde un moment les danseurs avant de me diriger vers l'une des chaises installées près du mur. Je suis assise depuis à peine quelques minutes quand une Emilia allègre vient me sortir de ma transe.

— Bonjour, *chiquita* !

— Hé ! Salut, contente de te voir !

Emilia est vêtue d'une robe de soirée noire en satin (ou une autre étoffe similaire), porte de longues boucles d'oreilles en argent et des escarpins avec lesquels elle semble n'avoir — contrairement à moi — aucun mal à se déplacer. Elle parcourrait le tapis rouge des Oscars pour sa nomination en tant que meilleure actrice qu'elle ne serait plus époustouflante que ce soir. J'ai l'air d'un lardon à côté d'elle avec mon arrangement floral amovible et ma démarche empotée (fleur, pot, empoté… que de mauvais jeux de mots pour une si petite personne). Il n'aura fallu à Emilia que quelques minutes — secondes — pour « spotter » le beau gars célibataire d'âge raisonnable et d'origine exotique. Elle montre Donatello du doigt et me demande qui est ce magnifique garçon aux dents blanches et au torse musclé.

— Donatello, le cousin et très bon ami de Maxime.

— Et crois-tu qu'il serait intéressé par une belle Latino-Américaine au sang chaud ? ajoute-t-elle en exécutant un mouvement qui se voulait sans doute séduisant, mais qui ressemble à l'ondulation d'une couleuvre envoûtée par la musique d'un charmeur de serpents.

— Probablement, réponds-je simplement.

J'ai la mauvaise impression que l'histoire se répète, et pourtant je refais exactement les mêmes erreurs qu'auparavant. D'abord, ça a été Simon, un garçon que j'ai aimé, haï, re-aimé et re-haï, sur qui elle a jeté son dévolu en sachant pertinemment les sentiments paradoxaux que j'éprouvais pour lui, et maintenant c'est Donatello, un Italien que je connais très peu — vrai — mais avec qui j'ai connecté (je crois ; c'est encore très hypothétique). Est-ce qu'elle sera toujours comme ça, attendant que je trouve un homme bien pour me le dérober sans remords au moment où je baisse ma garde ?

Suis-je parano ? Certainement, oui. De toute façon, la Tortue Ninja retournera dans son pays sous peu, et plus jamais nous n'entendrons parler de ce cousin éloigné du mari de ma sœur que j'ai vu presque nu. Emilia adorerait entendre cette anecdote croustillante ; elle jubilerait de connaître ce dont mes yeux ont été témoins dans cette piscine intérieure il y a quelques heures, mais je ne lui ferai pas ce cadeau.

Elle est déjà en train de se dandiner, même si la piste de danse commence officiellement deux ou trois mètres plus loin. Elle n'a pas envie d'entendre mes jérémiades. Je lui fais signe d'aller s'amuser avec les autres. Elle me dit qu'elle n'aura pas autant de plaisir si je n'y suis pas et me tire vers la piste avec une force surprenante. À peine en ai-je pris conscience que je suis déjà au centre de la foule agitée. Ma meilleure amie tente de me montrer quelques mouvements, mais rien n'y fait; je suis vraiment gourde et j'ai l'air d'une imbécile, à tenter de bouger sur des airs de Jay-Z.

Heureusement, la musique change pour des rythmes destinés au style de danse préféré des vieux maladroits: les danses en ligne. Ça fait aussi partie des traditions épouvantables qui truffent les mariages québécois. Les Italiens présents dans la salle considèrent, perplexes, les danseurs vétérans qui font encore et encore le même mouvement, changeant épisodiquement de côté en un claquement de mains incohérent. Je voudrais aller me rasseoir près du mur et observer le spectacle de loin, mais Emilia me retient en arguant que « c'est facile et amusant, les danses en ligne ». Faux. Je suis tellement mélangée dans mes pas que je réussis à embrouiller les danseuses les plus expérimentées, qui me lancent des regards sombres.

Donatello, placé derrière nous, semble aussi déconcerté que je peux l'être. Nous nous dévisageons, pantois, lorsque le groupe tape dans ses mains et tourne vers la droite inopinément. Emilia est parfaite, elle suit le bataillon sans aucun faux pas, alors que Don et moi sommes toujours un ou deux temps en retard. Mon amie interrompt soudain volontairement ses gestes gracieux (aussi gracieux que des gestes peuvent l'être dans une danse en ligne) pour se présenter à Donatello.

— *Buongiorno*, dit-elle en italien pour paraître intelligente et capter d'emblée son attention. Moi, c'est Emilia.

— *Buongiorno*, répète-t-il en serrant la main que lui tend ma meilleure amie. Donatello.

Et à ce moment, comme si les astres avaient décidé qu'il était maintenant temps pour moi de me retirer, comme si la rencontre de leurs deux paumes avait changé le cours de l'histoire (j'y vais peut-être un peu fort), un slow de Michael Bublé résonne dans les haut-parleurs. Entre l'arrangement floral flétri et l'aguichante panthère latine, le choix n'est pas difficile. Donatello invite aussitôt Emilia à danser avec lui. Elle accepte, bien sûr, probablement hystérique à l'intérieur, et, moi, je retourne sur ma chaise blanche, loin des mains baladeuses d'adolescents en rut. Je bous. Em a un don particulier pour me mettre en colère. Le pire, c'est qu'elle est sans doute complètement inconsciente de l'impact de ses gestes.

Incapable de les regarder se balancer ainsi et glisser agilement entre les convives comme les protagonistes d'une comédie musicale, je décide de me retirer au fond de la salle. Une table est toujours montée, et les feuilles sur lesquelles était écrit notre discours de demoiselles d'honneur y traînent. Dans un élan d'indignation, fulminante, je prends un crayon et griffonne des mots qui me libèrent momentanément de mon aigreur : « Je hais les mariages. Et je hais encore plus les folles qui croient qu'une fête engraissée aux excès et aux fantasmes refoulés est la promesse d'une vie amoureuse réussie... »

Remerciements

Comme ce deuxième tome parle de mariage, il serait outrageant que je ne souligne pas l'union prochaine de mes deux meilleurs amis, Alexandre et Élise — deux personnes qui me permettent de croire encore en l'amour, même si la vie me fait continuellement en douter — , qui ont décidé d'officialiser leur union. Je vous souhaite un avenir aussi fantastique et excentrique que vous l'êtes. Les paroles s'envolent et les écrits restent ; considérez donc ces mots comme mon discours indélébile de demoiselle d'honneur et une preuve tangible de mon éternel affection.

Je vous aime.

Imprimé sur du papier Enviro 100% postconsommation
traité sans chlore, accrédité ÉcoLogo et fait à partir de biogaz.